縄文時代を解き明かす

―考古学の新たな挑戦

阿部芳郎 編著

岩波ジュニア新書 982

はじめに

縄文《じょうもん》時代の考古学には、探偵のような面があります。過去に残されたモノやコトの痕跡《こんせき》を唯一の手がかりに、そこで実際に起こったコトの歴史的な意義を解明するのです。わたしたち考古学者は、こうしたたくさんの現場で共通に起こっている些細《ささい》なコトにも注目します。例えば、瓶《びん》やコップが散乱した場所に、決まって折れ曲がった瓶の蓋《ふた》が残されていたとします。また、そこには柄《え》のついた輪のような金属の道具も一緒に残されています（**図**）。このような状態がいろいろな場所で発見された場合、それがただの偶然ではなく、「それぞれのモノはお互いに意味をもってそこに存在していた」と推理できます。やがて、蓋が折れ曲がっていることから、柄《え》のついた輪のような金属の道具を栓抜《せんぬ》きにして、「テコの原理」を使って瓶の蓋をあけていたのだ、と説明されることでしょう。

こうしたことは、ただモノの散らばる状況を見ただけではわかりません。力学的な法則や瓶の中身をコップに入れて飲んだという文化的な行為《こうい》自体が見えてきます。このように一見すると個々の乱雑に見える現象が、じつは意味をもっているとわかってくるのです。

　こう考えると、みなさん自身も「過去を作り出す歴史の当事者」であることを意識できるでしょう。それが遠い縄文時代のことであったとしても、モノの本質を見抜く方法自体に違いはありません。この本でみなさんがそのことに気づいてくださったなら、大変うれしく思います。

　本書は「縄文時代とはどのような時代だったのか」という共通のテーマをもって現在も研究を続けている4人の研究者が、それぞれの研究をやさしく紹介しながら、考古学という学問の大切さやおもしろさを伝えたくて執筆しました。

　それでは、さまざまな学術分野が融合した縄文時代の最新研究を、ご紹介しましょう。

阿部芳郎

目 次

章扉イラスト＝サトウナオミ

旧石器時代
1万6500年前
草創期
1万1000年前
縄文時代
早期
7000年前
前期
5500年前
中期
4400年前
後期
3200年前
晩期
2500年前
弥生時代

縄文時代の時代区分

Ⅰ章

考古学とはどんな学問か

1 縄文《じょうもん》時代の考古学とは

阿部芳郎

みなさんは、考古学をどのような学問だと思いますか？　文字のない、狩猟採集《しゅりょうさいしゅう》社会とも呼ばれる縄文時代。それを研究対象にするには、遺《い》跡《せき》に残されたモノやコトを丹念につなぎ合わせて考える必要があります。

日本は火山列島ともいわれ、活発な火山噴火によって厚い火山灰が広く堆積《たいせき》しています。火山灰によって酸性の土壌《どじょう》が形成されているために、古い時代の骨や貝殻《かいがら》は分解されてしまい、ほとんど残りません。ただし、石灰岩地帯や貝塚《かいづか》などでは酸が中和されるので、貝殻だけでなく獣《けもの》や魚の骨や人骨なども残っています。また、低地に堆積した泥炭層《でいたんそう》には、植物の種子や木材、昆虫や花粉などが、バクテリアによる腐敗から守られて遺存しています。こうした場所は、さまざまな研究の材料が出土《しゅつど》するので、「縄文の宝箱」とも呼ばれます。

通常、長いあいだ土中に埋まったものは、バクテリアや経年の劣化によって腐食したりして、本来の形を残すものは全体の10パーセントにも満たないのです。ですが実際に遺跡を発掘すると、土のなかからはさまざまなモノや痕跡《こんせき》が見つかります。

これらのなかには、遺跡になる過程で動物や植物にかく乱されたり、洪水によって土砂が、噴火によって火山灰が堆積したり、時には堆積物の一部が長いあいだに変容しつづけて別の物質が生成されたりするなど、多様な痕跡が一体化しています。つまり、遺跡と言っても、人が意図的に残したものだけが残されているわけではありません。

しかし、当時の習慣や制度のなかで生きた人々の行為《こうい》は、偶然によってのみ起こったものでもありません。例えば、縄文土器《どき》には縄目《なわめ》の文様《もんよう》がつけられたり、狩りに使われる鏃《やじり》(矢の先端)の形や石材が広い地域で共通したりするなど、人の作ったモノや行動には、その地域や時期に共通する特徴を見つけ出すことができます。これを「文化」といいます。

このように、文字もない縄文文化を復元するためには、たくさんの発掘によって同じような状況を確認して、それが意図的なもの(文化的なもの)であることを確認するための事実の積み重ねが必要なのです。

◉縄文の暮らしを掘る

この本は、今から約1万6500年前に日本列島に独自に展開した、狩猟採集文化とされる縄文時代の生活の実態を明らかにするために、人文科学や自然科学といった複数の学問の境界を越えてその目的を共有し、さまざまな方法でその課題に取り組んできた研究者たちが、最新の研究成果をわかりやすく紹介します。

従来の伝統的な考古学は、出土品の外観を観察することに基礎が置かれていました。本書では、出土品を構成する化学成分や化学変化などからわかる年代や、食べ物の種類や生物学的な特徴、加工方法の研究なども含めて、文字のない時代の歴史を学ぶことのおもしろさと意義についても解説し、縄文時代に興味を深めてもらいたいと考えています。

◉細分化する研究

特に近年では、研究の細分化が顕著《けんちょ》です。本書で取り上げる動物考古学(Ⅲ章1)や植物考古学(Ⅲ章2)という枠組みも、ここ30年くらいの間に従来の考古学から独立した、新しい研究分野です。そしてこのようにテーマの細分化が進むと、そのなかには他の学問領域に近しい関係をもつ「中間領域」とされる研究分野が生まれます。それは個々の学問の領域の区分けが不明確になるようにも思えますが、じつはそれが科学の本質でもあるのです。

なぜなら、本来学問分野とは、例えば「人間とは何か」といった抽象的《ちゅうしょうてき》にも思える問いを、分野を越えてお互いに共有しながら、問いに対して具体的に考えるために用いる資料や分析方法の違いから、便宜的《べんぎてき》に区分されたものです。

つまり、土器の作り方や使い方からその時代の人々の生活を知ろうとする縄文土器の研究や、縄文人の骨から栄養状態やケガを、虫歯の痕《あと》から食べ物の特徴や生活のあり様《よう》を明らかにする研究なども、「人とは何か」という問題を単なる想像ではなく、科学的なリアリティをもたせて具体的に問いかけるものなのです。

◉最先端の研究の展開

本書で扱う縄文土器も、博物館の展示ケースのなかでは芸術品にも見えるすばらしい装飾や形をもちますが、本来は煮炊《にた》きの道具として作られ、使われ、そして多くは壊《こわ》れて捨てられたものです。こうした土器の内面には、内容物のオコゲが残されていることもあります。オコゲは食料が炭化《たんか》してできたものですが、その由来を推定する方法が最近発明されました。この方法が開発される前は、オコゲは文様を隠してしまう厄介者《やっかいもの》として、ブラシできれいに洗い落とされていたのです。

これまでの縄文土器の研究は、その多様な文様と形が時代や地域を単位にして変化していることに注目し、これらの特徴を詳細に検討して、より細かな縄文時代の変化をとらえるためのひとつの目盛《めも》りとして利用されてきました。これを考古学では「土器編年《どきへんねん》」と呼びます。そしてこの成果を利用して、遺跡から出土するさまざまな遺物は、時代や地域が特定されてきたのです。

しかし、土器は、本来は道具として作られたものなので、道具としての土器の使われ方はわかりませんでした。近年、土器のオコゲの同位体《どういたい》(詳しくはⅣ章1参照)を分析することによって、個々の土器で何を加工していたのかが推定できるようになり、道具としての縄文土器の研究が格段に進みました。

では、縄文土器はどの程度人々の食生活に関わりをもっていたのでしょうか? 土器のオコゲと、オコゲのついた土器の形や文様が比較されることによって、その時代のどの土器が植物のデンプンや肉などのたんぱく質の加工に関わったのか、次第《しだい》に明らかにされつつあります。

さらに、このオコゲの同位体を分析する手法は、土器だけでなく、炭化した食品の材料も明らかにしました。それは人骨の分析にも応用され、人骨自体からコラーゲンを取り出して、生前10年くらいの間に縄文人が摂取《せっしゅ》していた食料の特徴も推定できるようになりました。

これまでの考古学は、土器や人骨や動物の骨など、分析する材料ごとに研究が進められてきました。これらの研究は個々に独自の方法や分析機器を用いますが、研究成果を組み合わせることで、「道具として縄文土器を利用した縄文人が、具体的に土器で何を煮炊きしたのか、その時代の人骨からは動植物の何をどれくらい食べていたのか?」といったことが、はじめてわかるようになってきたのです。

こうして、縄文人が体を作るために摂取した食べ物と土器で加工した食料が推定できるようになったことが、考古学を大きく進展させました。

◉食べ物のもつ情報

もちろん遺跡から食べ物が生《なま》の状態で発見されることはありません。肉やデンプンなどはバクテリアによって分解されてしまうことが多く、検出が難しいのです。ですが、遺跡から出土する炭化した植物の種子の種類や大きさなどから、縄文人が直接食料として何を利用していたのか、あるいは栽培や管理の可能性さえ推定されるようになってきました。

また、食材の加工の仕方で、パンのような固形状、スープのような液状といった食べ物の形状にも多様性が生まれます。さらに、食べ物を加工する調理は、和食と洋食のような食べ物自体の違いだけでなく、食べる時に使う箸《はし》やナイフ・フォークといった食器の違いにも表れるように、固有の食文化を生み出します。

縄文時代にも6000年前以降になると、さまざまな形の土器が出現し、煮炊き以外にも利用された壺《つぼ》や皿や注口《ちゅうこう》土器（注ぎ口のある土器）などが登場してきます。

これらの変化は、おそらく調理技術の変化を示しているに違いありません。これらの食文化をどのような人たちが担《にな》ったのか、近年の縄文時代の考古学では、人骨や土器、動植物遺体の分析を結びつけて復元することができるようになってきました。

◉食材の生態的な特徴からわかってきたこと

また、食材となった動植物などから、縄文人たちの暮らしを知る研究も進んでいます。

例えば、貝塚から発見される貝殻は、殻の内部に形成される成長線を観察することによって、その貝が採取された季節や年齢を推測することができます(詳しくはⅢ章1参照)。秋にしか採ることができない木の実が出土すれば、縄文人たちも秋になると森で木の実を拾い集めたことがわかります。

なお、魚介類《ぎょかいるい》は回遊魚など決まった季節にしか採れない種類もありますが、貝などは1年中採取することが可能だとされてきました。しかし近年の研究によって、海の資源も種類によっては採取するシーズンがあることがわかってきました。貝塚の貝の種類などから、同じ浜辺に生息《せいそく》する貝類でも、時期によって採る種類に違いがあることが判明しています。貝の大きさを比較することで、採取した貝の管理の有無なども推測できるようになりました。

つまり、貝塚から発見された貝殻にも、縄文人の行動を読みとる情報が含まれていることがわかってきたのです。

◉嗜好品《しこうひん》や塩の生産

さて、現代のわたしたちの食生活において、カロリー摂取は健康を維持するための大切な目安となっています。ただし、わたしたちの食生活は、それだけでは満たされません。コンビニエンスストアなどでも、カロリーのとり過ぎの要因となるお菓子などがたくさん売られています。これらの大半は、嗜好品と呼ばれるものです。このように、食料とは栄養状態を維持するためだけにあるとは言えないのです。

そして縄文時代の遺跡から発見される食べ物にも、主食だけでなく、嗜好品的な意味をもつと考えられるものがあることがわかってきました。例えば埼玉県北本市に残るデーノタメ遺跡では、低地部分からニワトコという木の果実などがまとまって出土し、シロップなどに利用された可能性が出てきました。

また、製塩土器と呼ばれる薄手の煮炊き用土器やその付着物の分析では、海水から塩を結晶化して取り出す技術などが検証され、やはりその目的には嗜好品的な意味があったと考えられています(II章2参照)。

主食としての食品の加工技術が確立したことは、このような嗜好品を必要とする食文化の確立も促《うなが》したのかもしれません。

◉縄文考古学の目的

以上のように、一見すると結びつきが見えにくい研究も、お互いの間をつなぐキーワードを設定することによって、意外な部分で結びついているとわかることがよくあります。近年の考古学では、顕微鏡やエックス線を用いた微小部分の観察や、元素分析などから成分を明らかにする理化学的な分析が盛んです。しかしなかには、ともすると分析が目的化してしまい、人間の文化や社会の解明という本来の問題意識が見えにくくなってしまうこともあります。

近年の縄文考古学は、このようにまったく異なる手法の研究成果を組み合わせて、さまざまな事実を明らかにする研究が登場してきました。ですが、「人間とは何か？」という課題に問いかける姿勢と目的を見失うことがないように意識し、この本を読み進めてみてください。

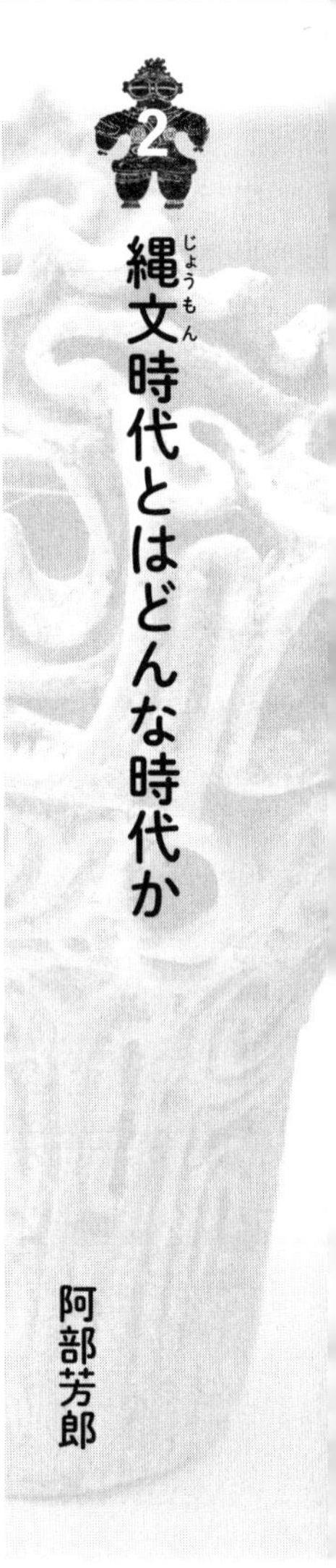

2 縄文《じょうもん》時代とはどんな時代か

阿部芳郎

◉定住が何を生み出したのか？

みなさんは、縄文時代をどのような時代だとイメージしていますか？

わたしは縄文時代を「定住化の進んだ社会が日本の各地に普及し、それが引き金となってさまざまな技術や社会のしくみが発達した時代」だと考えています。

縄文時代にはまだ農耕や牧畜もなく、食べるものも自然にあるものを利用した生活が続きました。このような説明から、みなさんは、縄文時代とは原始的な生活を送る平和な社会であったとイメージするかもしれません。

しかし縄文時代には、自然から有用なものを探し出して管理保存する技術や、生活に直接関わらない装飾品や祭祀《さいし》の道具も発達しています。また時には、農耕社会である弥生《やよい》時代以降の遺跡《いせき》に比べて、人々が極めて長い時間、同じ場所に住み続けた遺跡も出現します。

そうしたことが可能となった理由は、おそらく縄文時代の人々が、周囲の自然環境に適応《てきおう》し、食べ物も自然の動植物を活用して、自然の回復力の範囲内で生活する術《すべ》を獲得したからでしょう。自然の回復力を超えて資源を消費すれば、資源が枯渇《こかつ》したり環境が破壊されてしまったりすることを、彼らは熟知していたのかもしれません。

しかし、こうしたしくみは縄文時代のはじめから整っていたわけではなく、1万年あまりもの時間をかけて、ゆっくりと長く、また時には、それまでの蓄積が引き金となって、急速な変化をとげたと考えられています。

この章では、いくつかの事例を紹介しながら、こうした縄文時代の特質を考えてみたいと思います。

◉縄文土器の本当の姿

まだ稲作《いなさく》農耕が始まる前の社会を「狩猟採集《しゅりょうさいしゅう》社会」と呼びます。身の周りの自然の資源をおもに利用し、畑や水田もない生活のなかで、とても実用品とは思えないような造りの文《もん》様《よう》を描《えが》いた土器《どき》や、人間には見えないような人形（土偶《どぐう》）が作られた時代でもあります。博物館や本でこれらの実物や写真を見て、考古学や縄文時代に興味をもった人も多いことでしょう。これらの土器や土偶のなかには、国宝に指定されたものもあります。

しかし、遺跡から発掘される大半の縄文土器には、本来は煮炊《にた》きの時に付着した煤《すす》や、加熱によって内容物が焦《こ》げたオコゲがついている場合が多いのも事実です。これは意外に知られていない事実で、博物館の立派なケースに収められている重要文化財や国宝の縄文土器も、本来、多くは煮炊き用の道具として使われたのです。

わたしたちは絵を描いたり粘土で焼き物を作ったりした経験などから、縄文土器は芸術家が制作したと考えたくなります。しかし、縄文土器は、ピカソや岡本太郎のような個人が自由に創作したものではありません。各地・各時代の土器作りの決まりにしたがって作られたものであることは、遺跡から出土《しゅつど》する土器の形や文様を比較する「土器の型式学」という研究が明らかにしています。

縄文土器の文様の芸術性に感動する人は多いのですが、外見のすばらしさだけではなく、まずはこれらを日常の煮炊きの道具として用いた人々のくらしと社会とは一体どのようなものであったのか、考えてみる必要があります。考古学は、この問いに答えを求めるための有効な方法のひとつです。

初期の縄文土器から終末期の土器までを並べてみると、土器の器形や文様が次第《しだい》に複雑になり、また、現在の都道府県で２つから４つが単位となったくらいの範囲で、地域差が認められます。そうした変化を伴いながらも、どの時期でも主体を占《し》めているのは深鉢形《ふかばちけい》の土器で、これらの大半は煮炊きに利用された跡が残されています。この事実は、縄文土器の主要な用途は煮炊きであったことを示しているのです。

１万年を超える長さをもつ縄文時代において、一貫して煮炊き用の土器が重要な生活の道具であったということは、今日《こんにち》の食文化を考える際に重要です。わたしたちは料理の素材となる肉や野菜や魚を、どのように調理して食べているでしょうか？　生のままや焼いて食べるもの以外にも、煮たり茹《ゆ》でたり炒《いた》めたりする料理は、どれくらいあるでしょうか？　容器で食べ物を煮るという調理の起源が縄文時代にあると想定してみると、わたしたち日本人の食文化の由来がどこにあるのかということを考えるヒントになると思います。

ところで、煮炊き用土器の変化のなかで、約３５００年前の縄文時代後期になると、精製《せいせい》

図 1　煮炊き用の精製土器(左，岩手県雨滝遺跡)と粗製土器(右，宮城県山王遺跡)．約 3000 年前，小型の精製土器と大型の粗製土器が煮炊きに使われた．大きさの違いは，食べ物の加工と調理の使い分けを示している(土器は明治大学博物館蔵)

土器と粗製《そせい》土器と呼ばれる土器の作り分けが顕《けん》著《ちょ》になります。粗製土器とは大型で文様が簡素な器を指しますが、ほとんどが煮炊き用の深鉢です。逆に精製土器は小型で精巧な文様が描かれ、煮炊き用以外にも皿や壺《つぼ》、注口《ちゅうこう》土器といったように、貯蔵したり、液体を注いだりする、用途別に作った土器が多く見られます(**図1**)。

　このように、縄文時代とはどのような時代かを生活用具としての土器から考える場合、特定の土器だけにさまざまな想像をふくらませるのではなく、多様な器形や用途をもつ土器の相互の関係を明らかにして、総体として理解することも大切です。さらに縄文時代の器には、土器だけでなく、木を加工した容器や繊維を編んだ籠《かご》などもあります。

　長い縄文時代のなかでは、遺跡から出土する土器の量にも変化が見られます。1万600

0年から1万年前の草創期の土器は、形や文様が簡素で変化がとぼしいだけでなく、多くの場合は1つの生活の跡から数個のみの出土が一般的で、これは当時の生活で土器を利用する場面が極めて限られていたことを示しています。

それが約1万年前の縄文早期になると、遺跡から出土する土器の量が急激に増加します。出土する道具類を見ても、鏃《やじり》や釣針《つりばり》などの狩猟や漁労具《ぎょろうぐ》に加えて、ドングリやクルミなどの硬《かた》い殻《から》を割ったり、実をすりつぶしたりする石器《せっき》など、さまざまな活動に利用する道具がそろうのも、この時期の特徴です。それとともに、貝殻や動物の骨など廃棄物《はいきぶつ》を捨てた貝塚《かいづか》も形成されました。

土器の消費量のさらなる増加は、約3500年前の縄文後期に起こります。粗製土器と呼ばれる大型の深鉢形土器が、遺跡から出土する土器の6割から7割程度に増大するのです(この土器の比率は、一時期に使用していた土器の数ではなく、最終的に使用して捨てた土器の総量の比率のことです。土器の種類によって、すぐに壊《こわ》れてしまうものや、なかなか壊れなかったものなどがあるので、比率の違いの意味を考える時には、少し注意が必要です)。

さらにまた、集落から離れた場所から粗製土器のみが多量に出土する遺跡なども出現し、村の外でも土器が頻繁《ひんぱん》に利用されたりして、特定の作業が集中的に行われた遺跡が現れるのも縄文後期の特徴のひとつです。

これら特定の作業場の出現は、その周辺の数キロメートル圏内の台地に必ず長期的に継続する集落を伴う場合が多いことから、特殊な作業場の出現は定住活動の強化に関係していると考えられるのです。

◉粗製土器の正体

さて、これまでにも見てきたように、ひと口に縄文土器と言っても多様な特徴があります。わたしが食事と土器の関係でもっとも注目しているのは、じつはほとんど博物館に展示されることのない、粗製土器と呼ばれる大型の煮炊き用の土器なのです。

これまで、粗製土器は文様が簡素なために日常的に用いられた土器と考えられ、反対に精製土器は祭祀《さいし》や祭りに利用されてきた非日常的な土器であるととらえられてきました。そのおもな要因は、造りや外見の文様などの違いから、わたしたち現代人が想像したものなのです。だから「精製」と「粗製」という言葉に字句どおりの優劣をつけて評価することは、当時の生活実態を考えるという点からはあまり意味がありません。

それでは粗製土器は、その数が非常に多いことと、粗製土器ばかりが出土する遺跡が出現することを踏まえると、毎日の食事を作る料理のための道具だったのでしょうか？　あるいは、食材を加工するための道具なのでしょうか？

平均的な粗製土器は、高さが40センチほどの深鉢が多いのですが、この土器で豚汁《とんじる》を作ったとすると、それは優《ゆう》に30人分以上にもなります。当時の標準的な家族の人数を、正確にはわかりませんが、この土器を用いて現代のわたしたちと同じ程度の家族の人数で毎日食事をしていたとすれば、縄文人はかなりの大食いと言えます。

わたしは精製土器や粗製土器などのように、土器の区分がイメージだけで考えられてきたことに疑問を感じて、遺跡における土器の出土量や出土状態の観察を続けてきました。そして、煮炊き用土器には大型の粗製土器と小型の精製土器の2種類があること、精製土器が集落などの居住地から多く出土することなどから、むしろ定説とは逆に、日常的な調理に精製土器を用いたのに対して、大型の粗製土器は食材を加工するための道具として使い分けていたのではないか、と考えたのです。

例えば、粗製土器の用途として考えられるのは、手間のかかるドングリのアク抜きや茹《ゆ》でることなどです。ドングリは秋にたくさん実るので、その時期に大勢《おおぜい》で一気にたくさん拾い集めて、アク抜きなど手を加え、それを少しずつ調理したのではないでしょうか。

精製土器を用いた調理の場面では、肉や魚などと一緒に煮た場合もあったでしょう。複数の食材を合わせて調理できるのは、煮炊きという料理の利点なのです。わたしたちの食卓にものぼる、カレーやすき焼きなどを思い浮かべてみてください。精製土器で数種類の食材の味を混ぜて、新たな味覚を作る技術を生み出した可能性も十分あるでしょうし、栄養価の高い料理を作ることもできます。

こうして、その日暮らしのように調理したのではなく、あらかじめ大量に入手できる時期にまとめて採集しておいて、殻を剝《む》いたり、アクを取ったり、茹でたりした加工品を作って、それを毎日の食事で小出しにして、これに四季折々の食材を組み合わせて食べていたのかもしれません。

わたしはこうした食事の形態は、ご飯におかずを組み合わせる和食にとてもよく似ていると思います。米作りは弥生時代の特徴とされていますが、秋に森に実るドングリを大量に採取し、それを小出しにして肉や魚などとともに食べるといった食事のスタイルは、縄文時代に確立した食文化と決して無関係ではありません。

むしろ縄文時代と弥生時代を区別する目印は、先ほど説明した粗製土器の存在です。弥生時代には粗製土器はありません。弥生時代に栽培されたコメやムギ、ヒエ・アワは、脱穀《だっこく》すればアクを抜く必要もなく、加熱してすぐに食べることができます。

縄文土器は、アクがない食材を茹でることにも使われました。デンプンは加熱することで消化がよくなることを、縄文人は知っていたのかもしれません。粗製土器で茹でた後はすりつぶして団子《だんご》やパンのような製品にして食べたことが、遺跡から発見されるパン状炭化物《たんかぶつ》やクッキー状炭化物などからもわかるのです。

◉消費期限を延ばす方法

さて、今日《こんにち》のわたしたちはお店で食料品を買う時に、袋の裏に表示された賞味期限や消費期限を確認します。いつまでおいしく食べることができるのか、いつまでならば食べられるのか、ということは、縄文人にとっても、おそらく重要な点だったことでしょう。

縄文時代には、人がモノを計画的に蓄《たくわ》えるということを始めます。地面に掘った穴に食料を蓄える貯蔵穴《ちょぞうけつ》の出現も、縄文時代の特徴です。この行為は、消費期限を延長することにほかなりません。秋にとれたものを冬や春、さらには夏まで食べられるようにするにはどうしたらよいのか？ということは、同じ場所に長く住み続けるための重要な生活戦略です。そしてその食料は熱で加工した方がよいのか、あるいは干した方がよいのかなど、食料ごとに長持ちさせるための貯蔵加工技術があったと思います。

こうして資源を食品に加工する道具として土器をとらえると、わたしは縄文時代後晩期の土器を特徴づける粗製土器とは、調理器具ではなく、主食を一度に大量に加工するための道具(加工具)ではなかったかと考えています。重要な問題は、縄文人の主食が日本の各地域で共通したものであったのか、あるいは地域によって異なっていたのか、ということですが、それは土器の文様や形を研究するだけではわかりません。

土器の形や文様を中心とした研究からは、粗製土器が突然に生まれたのではなく、それ以前にあった土器の機能や特徴の一部を作りかえて出現していることが明らかにされています。ですので、粗製土器を必要とした理由とは、集落での食料の加工や調理技術の変化に求められることになるのです。

また、同じ資源でも、それを加工して消費するまでの過程を考えてみると、そこには資源の採集から消費にいたる、いくつかのサイクルが存在したことがわかってきます。

例えば埼玉県赤山陣屋《あかやまじんや》跡《あと》遺跡は、当時の集落から離れた湧水《ゆうすい》の湧《わ》く谷部に残された遺跡ですが、ここからは大型の粗製土器とともに木組《きぐみ》に水を溜《た》める施設が発見され、周囲からはトチノキの実の果皮《かひ》が層をなした塚が発見されました(**図2**)。

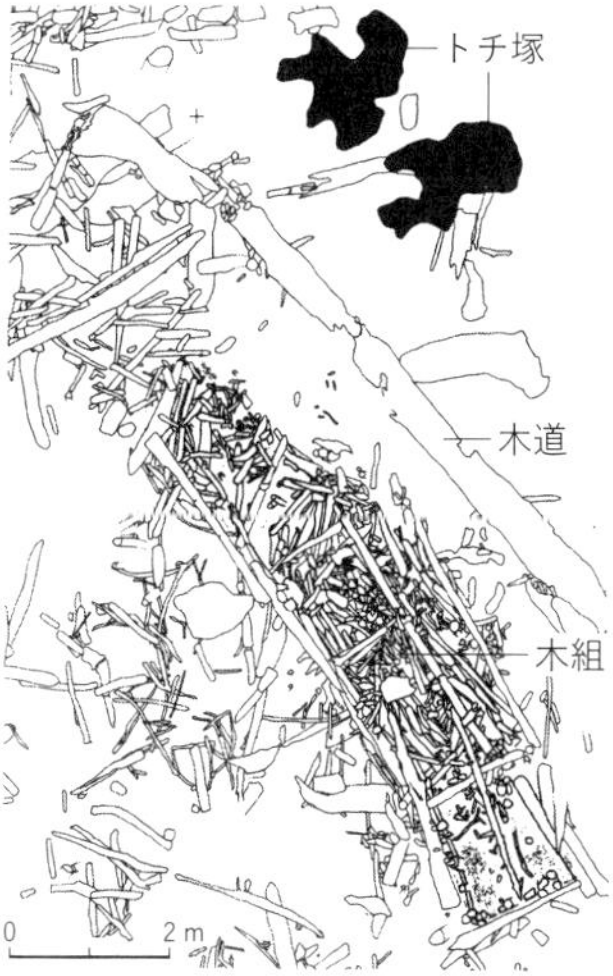

図2　トチノキの実の加工場だった木組遺構(埼玉県赤山陣屋跡遺跡，金箱 1996 より)

トチノキの実は、果皮を剥《む》いて水にさらしてアクを抜けば、食料として利用できます。こうした遺跡では、周辺のムラから秋になると人々が集まり、共同でトチノキの実の加工を行なっていたのでしょう(**Ⅲ章2図14**参照)。そして加工した実は、それぞれの集落に分配されていたに違いありません。

また個々のムラにも湧水を利用した水場《みずば》があり、飲料水の確保やムラ単位でドングリを加工していたこともわかります。

わたしは低地の利用の仕方でも、個々の集落単位での活動や、共同での作業などの違いがわかると指摘したことがあります。興味深いのは、こうした共同の食料加工作業は、何も植物資源だけでなく、貝類の加工などにも確認できることです。

国史跡《くにしせき》(国が指定した史跡)の東京都中里貝塚《なかざと》(**Ⅲ章1図6**参照)は、約5000年前の浜辺にハマグリとカキを交互に捨ててできた巨大な貝塚ですが、ここで生産された貝の身は広く周辺の集落に分配されていた、と考えたことがあります。特定の資源を共同で加工してみなに分配するということは、定住的な生活を支えたしくみのひとつだったのでしょう。

縄文人は、同じ資源でも共同で加工をしたり、あるいは集落内で個別に調理していた可能性があると思います。こうした計画性は、食料に限って見られるのではないことも後で紹介します。

◉資源という考え方

縄文時代は約1万6500年前から2500年前の弥生時代までの約1万4000年もの間、日本列島に固有に展開した文化を有します。狩猟採集社会と呼ばれる縄文文化は、農耕を知りません。ただし、一部では食料を管理、保存して、流通もさせていたことがわかっています。身の周りの自然のなかにある石や木の実や魚介類などの動物を無秩序に利用したのではなく、広い地域との関係を保ちながら、各地で独自の文化を創り出しました。

わたしは、縄文人が石や動植物など身の周りにあるさまざま自然物を、自分たちのくらしに役立てるために計画的に利用するようになることを「自然物の資源化」と呼んでいます。

こうして各地・各時期の縄文人の身の周りを見ると、縄文時代のなかでも、時期や地域によって利用されたものが異なっていたり、長い伝統として利用され続けたりするものがあることに気づきます。そして、わたしは資源化の実態を調べることで、彼らの文化の特徴を知ることができる、と考えたのです。

また、遺跡から発見されるさまざまな出土品を見てみると、遠く数百キロメートルも離れた場所でしか採《と》れない石が装飾品の素材として持ちこまれていたり、海から遠く離れた山間部の遺跡から、海の貝でできた装飾品が確認されることもあります。

当時の食料にしても、浜辺で大量の貝を加工して流通させるために、大きさのそろった貝を安定して入手できるように、小さな貝は採らないというルールを考え出しました。すでに紹介した中里貝塚から出てくる貝の種類や大きさは、こうした決まりごとの結果なのです。

このようなルールは長期間にわたって安定的に資源を利用できるように工夫した結果と考えられ、それは定住社会の特徴です。長く、同じ場所に住み続けることができるような日々の生活に対する考え方が、そのしくみを生み出した背景として考えられます。

◉信頼関係がつながりを作る社会

こうしたモノをめぐる関係は、お金でモノを買ったり売ったり、お金をかせぐために働くような社会にいるわたしたちにとって、一見何の違和感もないかもしれません。異なるものを等しい価値で交換するためにお金が発明され、お互いの価値を一定に保つための交換レートのような約束事があったのでしょう。

しかし、たくさんの交換物を生産した人々は、現代社会であれば、それなりにお金を貯《た》めたりして裕福な生活ができますが、縄文時代にはそうした人々が存在した証拠がありません。すなわち、たくさんの交換物を生産した地域に、交換で手に入れたと想定されるものが大量に出土したり、その地域が経済的に優位な関係を築いたりした痕跡《こんせき》がないのです。では、何のために必要以上の手間をかけて、交換物を生産したのでしょうか？

これは大変に難しい問題ですが、わたしは他者との良好な関係を築き、それを維持するために分け与えていたのだろうと考えています。そうした関係が構築される一方で、土器文様などに示されたように、他の地域の人々とは異なる目印として、集団の帰属意識も生み出しているのです。例えば、土器の文様や形に一定の特徴を加えて他の地域の土器と区別できるようにする一方で、こうした地域性を超えて、装飾品に利用するヒスイなどが広域に流通することもよくあるのです。

わたしは、こうした地域色は、敵対的な意識を強めるのではなく、他者に自分たちを理解してもらうための手段だったのだろうと考えています。縄文土器には、となりの地域の土器の文様をまねしたり、時として、そのまま持ちこんだりしたものが出土することが、よく見られます。このような他者を意識した関係は、ムラを単位とした場面でもありますし、地域を単位とした場合もあるのです。

　こうしたいくつかの関係の輪が重なり合い、全体として強固な社会の関係を形成したのでしょう。しかもこうした関係は、時としてムラに住む人たちの全員ではなく、特定の資源を専門的に利用する人々同士に限定されることもあったでしょう。特殊な技術をもった職人のような人たちのあいだでの付き合いも想定できる事例があります。

　例えば、現在でも魚市場に行けば、多量・多種の魚介類に精通した人たちが情報を交換したり、魚介類を売り買いしたりしています。魚市場は魚介類の入手や加工に精通した人たちの集まる場所です。逆にこうした場所には、精肉を扱う人はいません。現代のわたしたちの身の周りから考えてみても、極めて専門的で広域な地域との関係が重なり合って、日常の生活が成り立っていることがわかります。さまざまな食べ物を食べていた縄文人たちの社会に、わたしたちの社会と類似《るいじ》した、またはその初源的なあり方が存在したかもしれません。

　縄文時代とは、単に身の周りにあるものを自由勝手に使っただけではなかったこと、すなわち各地の縄文人は、自然にあるさまざまなモノを有用な資源としてほかから識別する独自の価値観をもっていたことを示しています。わたしはこうした縄文人の特性を「自然物の資源化」という考え方でとらえなおして、縄文文化の多様性について考えています。

こうした観点から縄文文化を考えた場合、その時代とは「環境への適応と資源や技術の選択」というキーワードで説明できると思います。これは「自分たちの生活にとって重要なものを自然のなかから選び出して、周囲の環境をうまく利用する」ということです。

◉縄文時代を区分する

現在、縄文時代は草創期・早期・前期・中期・後期・晩期の6つの時期に区分されています（巻頭図viii頁参照）。では、これら6つに区分された縄文時代の各時期の長さとは、一体どれくらいなのでしょうか？　6つに区分した当時（1950年代）の方法は、各時期を同じ時間幅にして相互に比較できるようにするために、各時期に入る土器型式の数を同じ数にしました。土器型式は、土器の文様や形の特徴によって区分されるのですから、土器型式の変化は、同じ時間幅のなかで起こったと考えられたのです。

当時は、まだ理化学的な方法で年代を測定する手法が一般化していない時代でした。その後、考古学では炭素《たんそ》14の放射性同位体による年代測定の方法が、世界的に普及して今日にいたっているのです（放射線同位体による年代測定については、Ⅳ章1参照）。現在では、個々の土器の外面に付着した煤《すす》に含まれる炭素14を用いた年代測定によって、土器型式が正確な時間の目盛りとして利用されています。

◉急な変化の意味は？

では、6期区分の実態はどうでしょうか？　それぞれの土器型式の継続年代をもとにして6期の時間幅を計算すると、草創期が5500年間、早期が4000年間、前期が1500年間、中期が1100年間、後期が1200年間、晩期が700年間になります。縄文時代の一番初期の草創期と終わりの晩期の時期では、長さに8倍くらいも違いがあることがわかってきました。

これは土器の文様が変わる（土器型式が変化する）時間幅が異なることを意味しています。しかも各時期の年代幅は、草創期から晩期までの時間的な流れのなかで次第に短くなっていることもわかります。これは土器の文様や形の変化が加速度的に速くなっていることを間接的に示しているのです。

また土器の文様の変化だけではなく、器の形や大きさのバリエーションや文様と形の組み合わせなどが時間とともに複雑化していることからすると、変化の要因は土器の用途の多様化やそれを生み出した社会の変化にあることがわかってきます。このように考えると、縄文

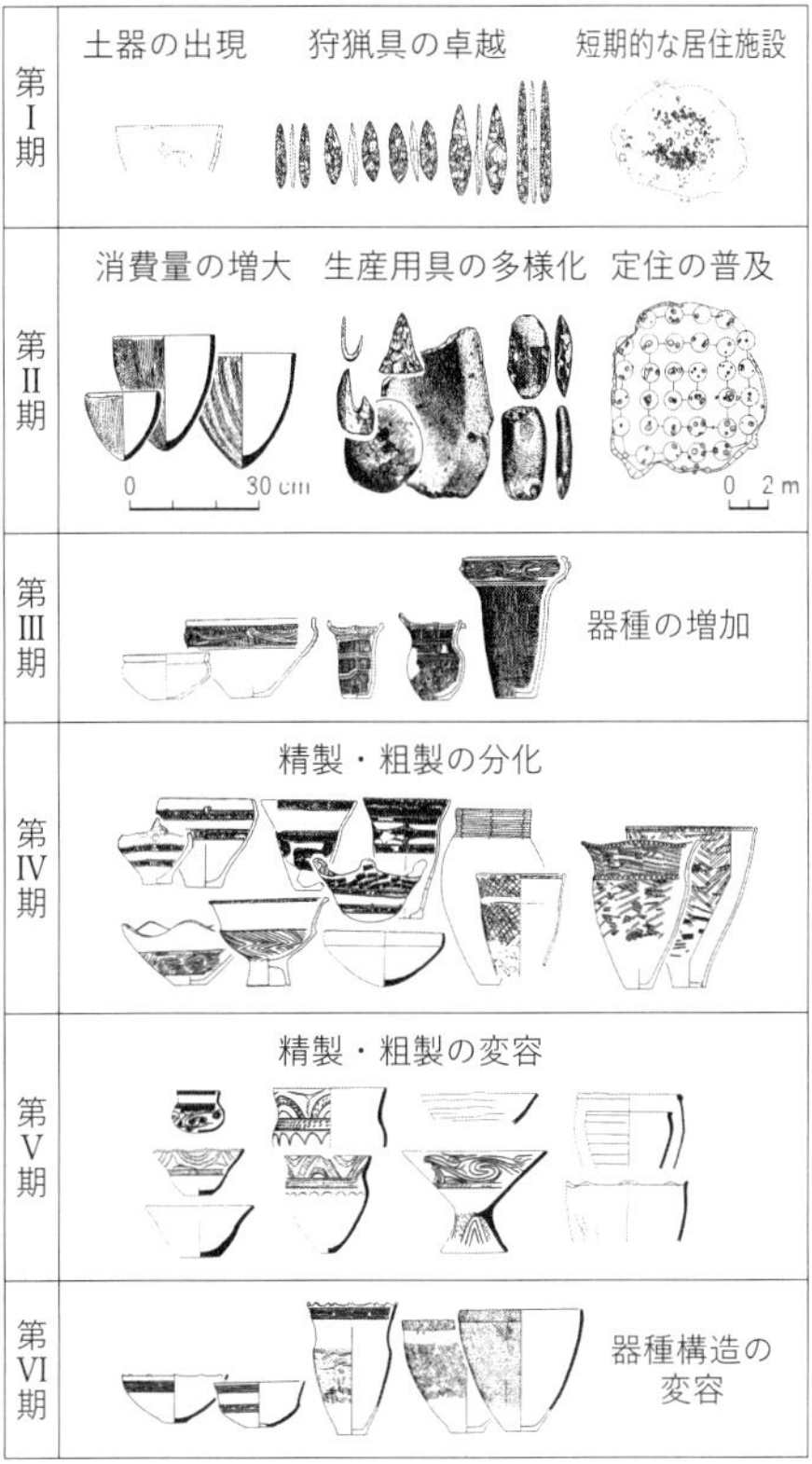

図 3 縄文土器の形や組み合わせの変化(阿部 2020 より)

土器の研究は文様だけでなく、道具としての研究も大切であることが理解できると思います。

図3に、縄文土器を道具として見た場合に指摘できる変化とおおよその年代を示しました。次に、縄文土器の特徴から6つの時期に区分してみましょう。

- 第Ⅰ期(1万6500～1万1000年前)は、ごくわずかな土器が狩猟用の石器に伴って発見される時期で、小規模な集団が住む場所も転々と移動した時期。
- 第Ⅱ期(1万1000～7000年前)は竪穴《たてあな》住居がつくられて定住が始まった時期。海際《うみぎわ》には貝塚が形成されて、土器の出土量も増加することから、生活のなかで土器の役割が拡大した時期。
- 第Ⅲ期(7000～4000年前)では数十軒もの住居がつくられるムラが出現し、土器の形も深鉢だけでなく、非煮沸《しゃふつ》用の壺《つぼ》や浅い鉢なども出現。
- 第Ⅳ期(4000～3000年前)になると土器の形がもっとも多様化するとともに、大型の粗製土器が出現。
- 第Ⅴ期(3000～2800年前)では多様化から簡素化に向けての変化が始まる。

・第Ⅵ期（2800〜2400年前）では形のバリエーションは減少。

このように道具としての土器の変化は、単純な形から複雑な変化を一方向的にとげるのではなく、複雑化と単純化を繰り返していることと、これらの変化のスピードが20倍ほども加速化していることがわかります。こうした要因には、縄文社会の変化が関係していると考えられます。

◉温暖化に適応した生活とは

長い日本の歴史において縄文文化のもつ特徴のひとつは、環境変化への適応です。縄文時代のなかでも、今から約6000年前をピークとした急激な温暖化が起こるのです。地球温暖化は氷河を溶かし、海洋に大量の淡水が注ぎこむことで海水面の上昇を引き起こします。その結果として海水面が約200メートルも上昇しました。

ちょうどこのころ、今日《こんにち》のような島が連なる日本列島ができて、東京湾や瀬戸内海が形成されています。縄文時代よりも前の旧石器時代には、現在の東京湾は河川が流れてできた大きな谷でした。

一方、温暖化のなかでも一番暖かい時期であった縄文時代の前期(今から約6000年前)には、現在の埼玉県にも海が入りこんでいたことが、貝塚の分布や低地の堆積物《たいせきぶつ》の微化石の分析から明らかにされているのです。このように縄文時代には、わたしたちには想像もできないような大きな環境の変動があったことがわかっています。

日本では約1万年前に、東京湾の入り口付近に貝塚が形成されます。貝塚は海に近い環境でくらした縄文人の生活を映し出している遺跡ですが、貝以外にも魚や動物の骨も多く発見されています。

神奈川県横須賀市《よこすかし》にある夏島《なつしま》貝塚は、縄文時代早期に残された最古の貝塚のひとつです。貝塚は台地の斜面に厚さ2メートルあまりも堆積しており、約1万年前から7000年前のあいだ断続的に形成されました。この貝層の一番下にある(古い)貝層には、ヤマトシジミという貝が薄い層をなして発見されたことが報告されています。ヤマトシジミとは汽水《きすい》(海水と淡水の混ざり合うところ)の貝で、アサリやハマグリなどとは同じ場所には生息していません。現在でも、河川の河口部などで見られる貝です。

この事実は、夏島貝塚を残した初期の人々が、まだ周辺が海になる前の段階で生活を始めていたことを示していると考えられます。縄文時代早期の貝塚には、これと同じような状況を示すものが多く見られます。

温暖化による海水面の上昇は、千葉県や神奈川県などの東京湾と、岡山県や広島県などの瀬戸内海のように、離れた広い地域で起こる現象です。そしてそれは、地球規模の温暖化という大きな環境変動に適応した生活を、人類が各地で開始したことを示しているのです。

◉山間部の人々のくらし

では約1万年前の、海から離れた山間部のくらしはどうでしょうか？

長野県栃原岩陰遺跡《とちばらいわかげいせき》からは、1万年前の生活史が明らかにされています。ここから発見された土器は表裏縄文土器《ひょうりじょうもんどき》と呼ばれる特徴のある土器で、米田穣さんによる土器の内面に付いたオコゲの分析から、内陸の植物や動物を加工したことが明らかにされました（Ⅱ章1参照）。さらに狩猟に用いた石鏃《せきぞく》（石から作られた鏃《やじり》）や骨で作った釣針、木の実をすりつぶす石器などから、身の周りの多様な食料を利用していたこともわかりました。

一方、栃原岩陰遺跡にある洞窟《どうくつ》からは、遠い海でしか採れないツノガイやタカラガイといったdesignずらしい貝で作った装飾品も出土して注目されました。こうした出土品から、海を遠く越えた内陸部にまで海に生息する貝類が流通したことがわかってきたのです。

千葉県船橋市取掛西《とりかけにし》貝塚では、栃原岩陰遺跡とほぼ同じ時代の住居址《あと》からツノガイを使ったビーズやその未完成品が大量に出土しています。しかも驚くべきことに、そのツノガイの年代を調べてみると、遺跡が残された時代よりも数万年以上も昔のものだったのです。

つまり、貝製ビーズの年代測定によって、縄文人は化石となった貝をわざわざ露頭《ろとう》（地層や岩石が地表に出ている場所）から掘り出して使っていたということがわかりました。貝は化石になると色素が抜けて白色になるものが多いので、彼らは純白の貝製ビーズを求めたのでしょう。

このように、約1万年前の縄文人は、自分たちの身を飾る装身具の素材を、遠く離れた地域から取り寄せていたことがわかっています。

◉女性のアクセサリーの流行

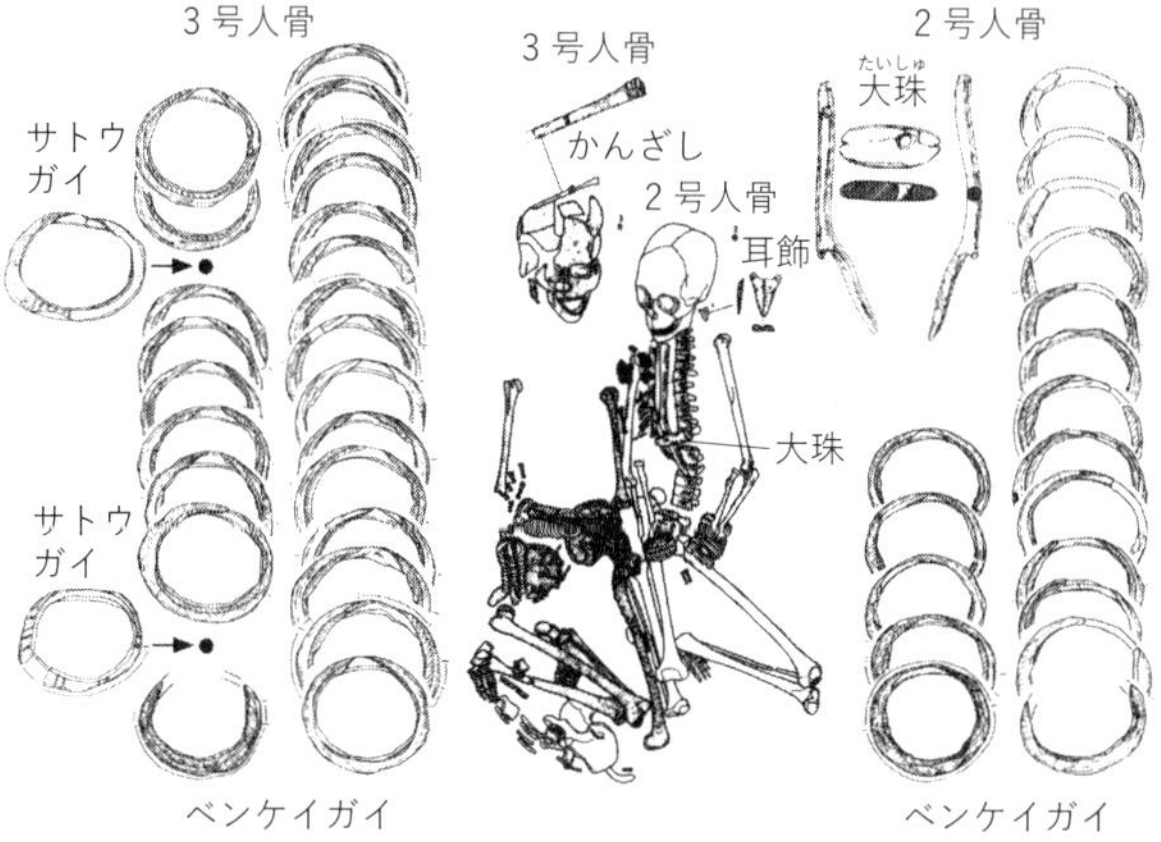

図4　貝輪を着けた女性(阿部 2012 より)

残念ながら、貝製ビーズは男性が着けたのか、女性が着けたのかを判断できるほどたくさんの出土事例はありません。しかし、貝で作った腕輪(貝輪という)を着けた人骨の出土は、ある程度の事例があり、これらの人骨の性別判定から、貝輪は基本的に女性が身に着けた装身具であることがわかりました。

人骨に見られる貝輪の種類は、サトウガイとベンケイガイが主体を占《し》めています。なかでも縄文時代後期の4000年前くらいになると、多量のベンケイガイ製の貝輪を着けた女性が出現します(**図4**)。

また、人骨の腕の骨の向きと貝輪の方向を観察すると、これらの貝輪には腕に通す時のルールがあることがわかるのです。貝輪は貝殻の内側の面から外側に腕を通すようにして着装しています。貝殻の表面をわざわざ丁寧《ていねい》にみがいて平滑《へいかつ》にした貝輪もあるので、腕を下ろすとみがいた貝の表面が見えません。みがいた表面が他者に見えるようにするには、肘《ひじ》を曲げたポーズが復元できるのです(**図5**)。

貝輪は、第三者にとって、その人が女性のなかでも区別される立場を示すために使われたのかもしれません。全国から発見された貝輪着装人骨には、福岡県山《やま》鹿《が》貝塚で確認されたように、片腕だけで20個以上の貝輪を着けた女性もいます。

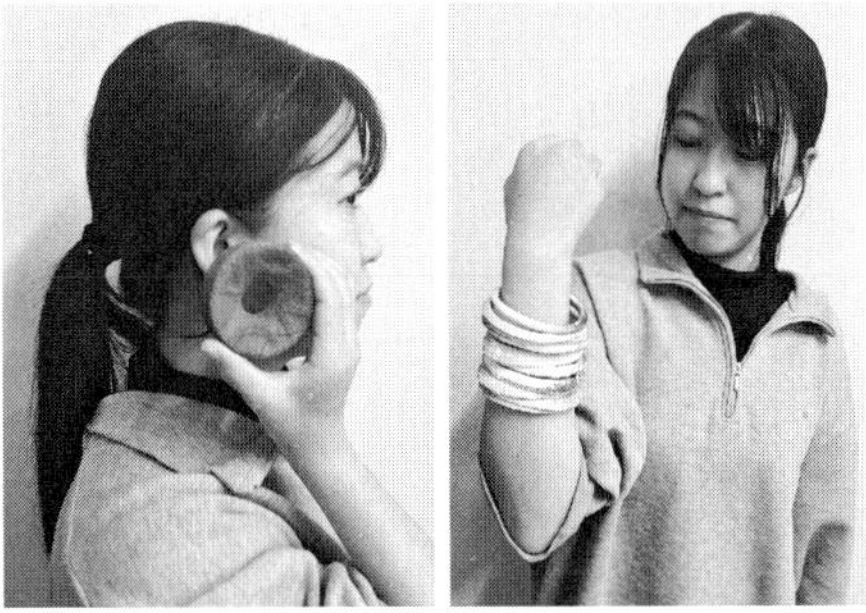

図5　土製耳飾(左)と貝輪の着装状況(右).縄文時代の女性には大きな耳飾やたくさんの貝輪を着けた人もいて,立場の違いが示された

◉アクセサリーの見せ方と意味

本書**カバー袖《そで》図1**ではさまざまな縄文アクセサリーを紹介していますが、縄文女性を代表

する2大アクセサリーは、貝輪と耳飾《みみかざり》です。貝輪も時期や地域によって用いる貝や作り方に違いがありますが、耳飾にも時代や地域の特徴があったようです。ここでは、貝輪が流行した後期から晩期の事例を取り上げましょう。

耳飾には、鼓《つづみ》のような形をしたものと滑車形《かっしゃがた》を基本形とした2種類があります。鼓形《つづみがた》の耳飾は魚の脊椎骨《せきついこつ》で作られたものもあり、耳飾の原形なのかもしれません。直径が10ミリに満たない小さなものもあります。これに対して滑車形耳飾は、直径が50ミリから大きなものでは100ミリ前後のものまであり、すべて土製で、赤く塗られたものもあります。

小さな鼓形耳飾は子供を対象にして、だんだんと耳たぶにあけた孔《あな》を大きくして滑車形耳飾へと着け替えていったのでしょう。そう考えると、貝輪と同様に、子供から大人までが耳飾を着けるような習俗が発達していたことがわかります。

大型の滑車形耳飾にはさまざまな文様が施《ほどこ》されていますが、この文様は土器の文様と似ているものがあります。すでに述べたように、土器文様を地域やその土地に住む人々の目印ととらえると、同じ文様の耳飾は、同じ文様の土器を使う女性たちを示すものだったと考えられるかもしれません。

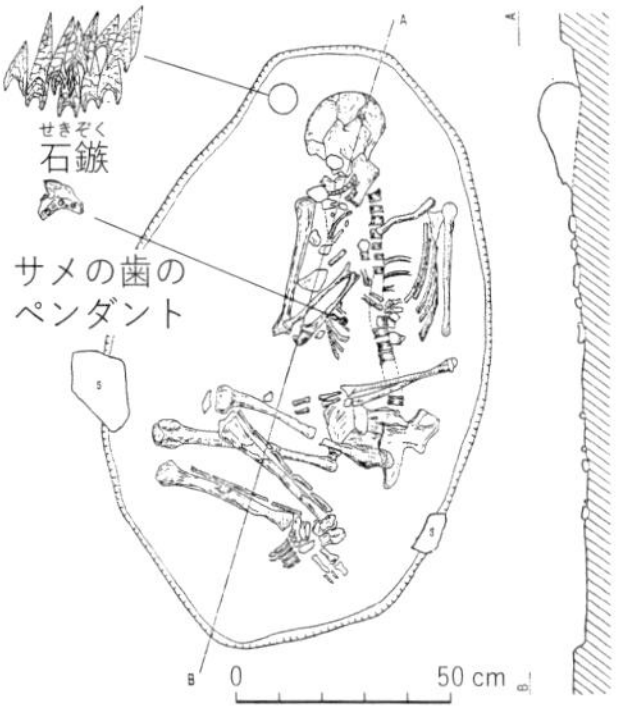

図6　サメの歯のペンダントと石鏃が副葬された成人男性(新潟県堂の貝塚)

耳飾を女性が着けていたことは、土偶が滑車形の耳飾を着けていることからわかります。貝輪や耳飾は縄文時代の女性のアクセサリーとして発達しましたが、貝輪は女性の間での立場の違いを表し、耳飾は出身地を示す目印であったとすると、当時の女性には、そうした自分の所属する地域や集団のなかでの立場を誇示《こじ》したい場面があったと考えることができます。イヤリングやブレスレットは今でも身を飾るアイテムですが、アクセサリーには本来こうした意味があったことがわかります。

では、男性のアクセサリーは、どうでしょうか？　埋葬《まいそう》人骨と一緒に発見され、生前の様子がわかる例として、新潟県堂の貝塚の男性人骨の例を紹介しましょう(**図6**)。

男性人骨に伴うアクセサリーは、サメの歯やクマやオオカミやイノシシの牙《きば》など、動物の歯や牙などが利用されることが多く、これらの動物の獰猛《どうもう》な性格を象徴したものと考えられています。

◉生活技術と社会の多様化・資源の流通

では、縄文人とわたしたち現代人の違いは何でしょうか？

もしもタイムマシーンで縄文時代の子供を連れてきて一緒にくらしたとしたら、わたしたちと同様に言葉を話し、パソコンやスマホを使い、学校でともに勉強することができるようになるでしょう。縄文人と現代人の脳の容積は同じなので、生物としての本来の機能には違いがないと考えられているのです。

とすると、縄文人のくらしとわたしたちのくらしがこれほどまで異なるのはなぜでしょうか？

それはヒトが生きるために作りあげた環境（社会・文化）の違いにあるのです。

ヒトは自然のなかで生活を営むために、さまざまな工夫をします。例えば氷期に森の植物に実りの少ない環境にくらし、食べるものが常に移動するマンモスやナウマンゾウなど象や野牛やヘラジカなどの人型動物であれば、彼らは動物の群れとともに移動して生活しました。

縄文時代の前の旧石器時代にはこうした狩猟道具を携《たずさ》えた人々は、絶えず住む場所を移しながら生活したことがわかっています。

こうした寒冷な環境が、温暖化によって変化し、食べ物になるさまざまな植物が森をつくり、暖かな海が内陸に入りこんで干潟《ひがた》が形成され、多くの魚介類が生息できる環境になると、人々の生活も移動からひとつの場所にとどまり長く生活できる社会をつくり始めます。こうした生活の変化を「定住革命」と名づけた考古学者もいます。

ただ、「縄文時代は温暖な気候で豊かな資源の恵みを利用した狩猟採集時代である」と説明されることが多くても、定住もそんなに楽なことではなかったはずだ、とわたしは思います。こうした評価は、現代人が定住を前提とした生活に慣れ親しんでいるからなのです。

かつての温暖化は、結果として人々にとって有利に作用としたと評価できます。その反面、森に入れば、ドングリはたくさん実るものの、それは秋にしか採ることができないし、ドングリは生《なま》のままでは食べることができないので、手間をかけなければなりません。それに、デンプンは加熱することによって消化がよくなるのです。

また、温暖な海には魚や貝類が生息していましたが、たくさん採れる時期や場所は限定されているので、一時期に多くの人手が必要になります。

このように、一見豊かに見える山や海の資源を利用するためには、さまざまな知恵や技術が欠かせなかったことに気がつきます。同じ場所に長くくらすことが、いかに大変なことであったか、そしてそれを可能にした社会のしくみや技術がどのようなものであったのか、理解することが大切なのです。

なぜ縄文人は、定住する生活を選んだのでしょうか？　また、定住という概念はあくまでもくらし向きを指す言葉であり、どれくらいの規模の人数でくらすかまでを規定するわけではありません。しかし、縄文時代でも数軒の住居でしかくらさなかった時期や地域があったり、時には数十軒の家でひとつのムラを作ることもありました。定住する期間も数十年から、時に1000年を超えたムラがあったのです。さらに、生活用具としての縄文土器の多様性も、おそらくこうした彼らの生活と密接に関係していたはずですが、生活用具としての土器の研究は、まだまだこれからの、新しくて魅力的な課題です。

また近年では人骨の研究も盛んで、古人骨《こじんこつ》に記憶された遺伝的な情報や骨に残された病気の痕跡、骨自体を形成する成分から、生前に何をどれくらい食べていたかを推定する方法などが開発され、過去の歴史をよりリアルに復元できるようになってきました(Ⅳ章1参照)。

　こうした研究と、遺跡や土器や石器などの道具や当時の社会の研究を組み合わせて、さまざまな現象の因果関係を読み解いてゆくのが考古学の役割なのです。

　例えば、縄文の人骨には虫歯が発見されることがありますが、それは約6000年前以降に多くなると言われています。虫歯に悩まされるのは縄文人もわたしたちも同じです。歯をよくみがけば虫歯になる確率は低下しますが、虫歯の要因は食べる物自体の種類にもよります。クッキーのような小麦を粉にして固めて焼いたものが歯の隙間《すきま》につまりやすいことは、みなさんも経験があると思います。そして、人骨に虫歯が増加する時期に、硬いドングリをすりつぶすための石器が多く出現しているのです。こうした事例から考えると、縄文人の虫歯増加の要因には、食べるものの特徴が関わっていることがわかります。

　このように人の体や病気の痕跡は、その人が生きた生活史そのものを直接的に映し出すと考えられる、極めて重要な情報なのです。

◉道具としての縄文土器

縄文文化とは土器の利用の開始を特徴づける文化であることとは、すでに述べました。縄文土器とひと言で呼ばれる道具とは、非常に長い間、日本列島において独自に変化した道具であることがわかります。縄文時代とは何か、ということを考える際に、縄文土器の研究が非常に長い研究の蓄積がある理由です。

しかしこの課題は、縄文土器の文様や形だけを見ていてもわかりません。土器はその時代・地域の人々の生活のなかに存在したことを忘れてはなりません。生活全般のなかに位置づけるときに、「土器とは一体何か」という課題に対する答えが見出せると思います。そのためには、石器で何を加工したのかということや、遺跡に残された動植物などの食料残滓《ざんし》(食べ残し)などの研究に注意を払いながら、多面的に研究を進めることが大切なのです。

日本列島の歴史のなかで出現した土器は、当初から煮炊きに利用されたという特徴があります。世界の土器の起源のなかで、土器の発明はモノを貯蔵するための容器として出現した地域もあるので、煮炊きの技術と土器の利用の開始が関係しているのが縄文文化の大きな特徴のひとつといえます。

初期の縄文土器のあり方は、文様や形には地域的な個性が認められるものの、共通した変化として指摘できることが2つあります。1万年前以降になると土器の出土量が増加すること、一時期の土器の大きさや形や文様が多様化する傾向があることです。

出土量の増加は、遺跡に人々が住んだ期間や人数の規模を示すので、土器の出土量の増加の要因には、定住的な生活の確立が関係すると思います。土器の大きさは一度に加工する食料の量や種類に関わると考えられ、形や文様の違いは加工対象物の種類(動物の肉や、魚介類、ドングリなどの植物)の違いを示しているのかもしれません。こうした変化には、先ほど説明した定住的な生活の確立が関係しているとわたしは考えています。ただ、土器自体の研究からは直接的な証拠が示せないため、これらはひとつの類推に過ぎません。より具体的で直接的な証拠は一体何かを探る本格的な研究が、最近はじまりました(II章参照)。

◉縄文時代を考えるおもしろさと大切さ

長い時間をかけて他の地域の文化の影響を受けずに発達した縄文文化は、日本列島の歴史の上だけでなく、これほど長い間継続した狩猟採集社会として世界的に見ても極めて稀《まれ》な文化です。そのなかに分け入ってみると、わたしたち現代人につながるように見えるものや、一見そう思われるものの、実態は大きく異なることがあることも確かです。

日本の考古学は、土器や石器といった人工物の研究を対象に進められてきた歴史があります。道具を作る際に見られる形や素材の選び方などの規則や、住居の形や構造など、人工物の研究からひとつの文化や社会の特徴として描かれてきました。

これまでわたしは過去を考える時に、モノ作りの技術や社会の規則といった決まりごとに注目してきました。近年では、その対象は人工物だけではなくなっています。貝殻や動物の骨、植物の種子や花粉などが個別の専門分野を確立して、それが「動物考古学」や「植物考古学」と呼ばれるようになるなど、学問の細分化が顕著です。

さまざまな視点をもつ研究者と一緒に研究をしていると、わたしは自分自身が「決まりごととは一体何か」に強いこだわりをもって研究してきたことに気づかされます。

しかし、ヒトは必ずしも決まりごとに厳格に生きているだけではないことも事実です。

ヒトを生態学的な観点から見た場合、周囲の環境の変化に適応《てきおう》するには、それまでの決まりごとに従うだけでは必ずしもうまくゆきません。決まりごとは、少しずつ変えて対処することもあったはずです。ただ、残念ながら考古学はモノを中心に過去を考えるという性質上、モノ自体の形態や特徴が変わらなければ、その変化には気づきにくいのです。

縄文人も極めて厳格な決まりごとのある世界に生きていたことは、土器作りに使う道具や粘土や焼き方にいたるまでの製作技術などが、時期や地域ごとに極めて厳格に守られていることからわかります。しかし、土器の文様や機能は変化していることも事実です。その要因は何でしょうか？ 詳しくはⅡ章2で紹介しますが、わたしは本来の用途をもつ道具を異なる目的に利用してみる「転用」という行為に、そのヒントを求めようとしています。

このように考えると、道具の素材や形、食べる物の嗜好性《しこうせい》、住む家の形など、すでに生活の多くが決まりごとに従っていることがわかります。これは規則や法律に則して生きているわたしたちの生活にもつながる社会のしくみの骨格が、すでに縄文時代に存在していたことを示しているのです。

数千年以上も昔の生活など、わたしたちには想像もできないと思うかもしれません。しかし、遺跡から発見されるさまざまな遺物の研究からは、モノ作りの技術や食べ物や食事の方法などにも今日のわたしたちの社会と通ずる部分があることに気づくでしょう。

そう考えると、縄文時代とは、そう遠い時代の話ではないと思いませんか？

II章
縄文土器とは何か

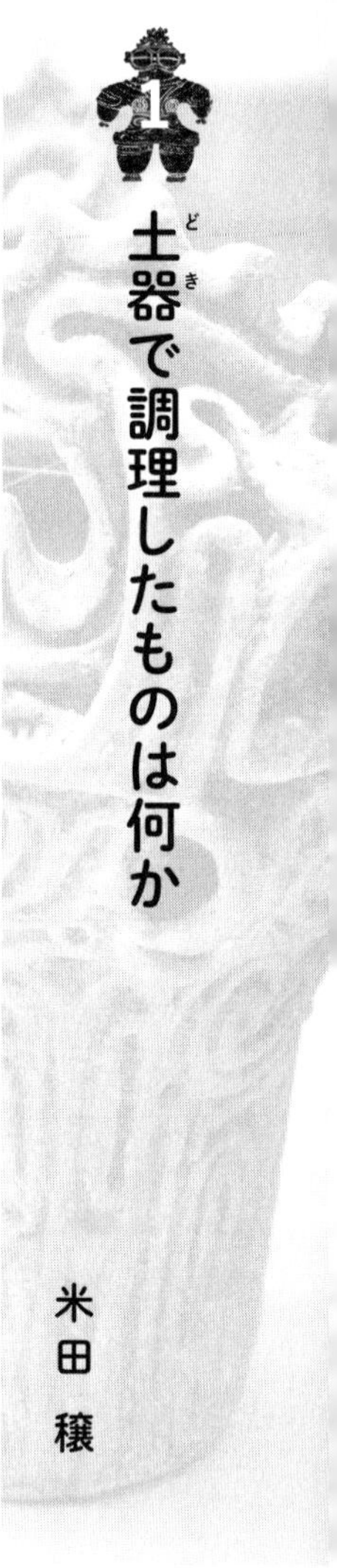

1 土《ど》器《き》で調理したものは何か

米田 穣

わたしはもともと人類の進化に興味があったので生物学と人類学を専門にしましたが、いまは縄文《じょうもん》時代の土器も研究しています。縄文時代の遺跡から大量に見つかる土器は、考古学者によって長年研究されてきました。しかし、人類の進化に興味をもつ生物学者であるわたしから見ても、縄文土器はとてもおもしろい研究対象です。人類がどのように「悪食《あくじき》のサル」(後述)になったのか、それを解き明かす重要なヒントになるかもしれません。

この章では、土器という道具を、人類の進化の視点に立ち、化学分析という方法を使って調べた研究についてご紹介します。

◉ヒトという生き物

わたしたちヒトのさまざまな特徴を理解するためには、わたしたちとよく似た生物と比較する視点が大切です。現在生きている生物では、アフリカの熱帯雨林にすむ大型類人猿のチンパンジーが最もよく似ていることが知られています。わたしたちの体には、チンパンジーを含む類人猿に共通する特徴(大型の脳や退化した尾など)もありますが、チンパンジーには見られない特徴もたくさんあります。

例えば、体毛が退化している点に着目した英国の動物学者デズモンド・モリスは、1967年(日本語版は69年)に『裸のサル』という本で、アフリカのサバンナに暮らすなかで起こったと想像される体の変化を説明しました。それによると、もともと人類とチンパンジーの共通祖先は、熱帯雨林で暮らしていました。

しかし、アフリカ中央部を南北に走る大地溝帯《だいちこうたい》という山脈が形成されたことで、アフリカの東側がサバンナ(灌木《かんぼく》のある熱帯草原)になりました。そこで熱効率をよくするように体毛が退化し、汗を出す汗腺《かんせん》が進化したと考えられています。つまり、ヒトの体の特徴のいくつかは、サバンナという新しい環境にあわせて変化した「適応《てきおう》」として説明することができます。

さらに、チンパンジーや他の霊長類《れいちょうるい》がほぼ植物しか食べない草食性であるのに対して、ヒトは哺乳類《ほにゅうるい》や鳥類、魚類などのさまざまな動物を食べる点に着目した南アフリカ出身の英国の動物行動学者ライアル・ワトソンは、『悪食《あくじき》のサル』という本を1974年に出版しています。

このようにわたしたちにとって、当たり前と思っている体の特徴や行動のなかにも、チンパンジーの祖先から人類が分かれてから700万年におよぶ進化の歴史が反映されています。

わたしが専門とする自然人類学(生物人類学、形質人類学とも呼ばれます)は、生物としてのヒトを研究する分野です。ヒトと片仮名で書いているのは、わたしたち現生《げんせい》人類を指す学名(世界共通の種名)ホモ・サピエンスの和名(日本での種名)を意味しています。

250万年前ごろにアフリカに現れたホモ属《ぞく》と、それよりも前にいたアルディピテクス属とアウストラロピテクス属の仲間は、直立二足歩行するという特徴をもつ霊長類で、これらの属を「人類」と総称します。現在は、わたしたちヒト1種しか人類はいませんが、アフリカでホモ属が登場したあとも、頑丈型アウストラロピテクスとも呼ばれるパラントロプス属など、複数の人類種が並存していたと考えられます。

ヒトの特徴を理解するためのひとつの視点として、過去にどのような歴史をたどって今日《こんにち》のような特徴になったのかを調べる研究があります。時間とともに生物が世代を重ねて形や行動を変えていくことを生物学では「進化」と呼びます。もう少し厳密にいうと、19世紀に、生物の単位である「種《しゅ》」というものは時代とともに変化すると多くの人が考えるようになり、その変化を「進化」と呼びました。20世紀になると、種が変化するその背景には遺伝子の変化があることが明らかになり、「進化」は種の変化だけではなく、より広い時間とともに遺伝子が変化していく現象を指すようになっています。

◉料理をするサル

あなたが今日食べたものを思い出してみてください。パンや白米、野菜などといっしょに、豚肉や鶏肉、牛肉で作ったおかずを食べた方が多いのではないでしょうか。お刺身や焼き魚などの魚介《ぎょかい》も、動物のタンパク質という意味で、栄養学的には肉とよく似た食べものと言えそうです。一方、動物のなかにはライオンのようにほかの動物を食べる肉食動物や、シマウマのように植物しか食べない草食動物もいます。動物が食べるものの傾向を、生物学では「食性」と呼びます。食物は毎日活動するためのエネルギーと、体を作るための材料になりますので、生物の生存と繁殖《はんしょく》にとっても極めて重要です。

どのような種類の食べものを利用するかは、生物の進化の研究でも重要なテーマになります。ヒトのように動物も植物も利用する食性は、雑食性と呼ばれます。

じつはチンパンジーだけでなく、ゴリラやオランウータンなど大型の類人猿は、いずれもほとんど植物しか食べない草食性なので、雑食性というヒトの食性は類人猿あるいは霊長類としては、かなり変わった特徴ということができます。ワトソン博士はこの特徴に着目して、ヒトを「悪食のサル」と呼んだのでした。

じつはヒトの食生活にはさらにユニークな特徴がありますが、生物学ではあまり注目されていませんでした。それは、食物にさまざまな加工を加える「調理」が広く一般的に行われている点です。調理は、本能的に備わったものではありません。どのように食材を処理すれば、うまく食べることができるか、その方法は親から子へと伝えられます。

このように、本能として生まれた時から持っている行動ではなく、学ぶことによって身につける知識や行動を「文化」と呼びます。従来、文化はヒトに特有のものなので、いわゆる文系の研究対象と考えられてきました。しかし、20世紀後半に動物の行動を詳細《しょうさい》に観察する動物行動学が広まるにつれて、動物にもさまざまな文化が存在することがわかってきました。

動物が持つ文化として、宮崎県の幸島《こうじま》にすむニホンザルの、餌《えさ》のサツマイモについている砂を水で洗いおとす行動が知られています。もともとは、1頭の若い雌《めす》ザルの「発見」が他の個体に広まっていきました。さらに世代を重ねるうちに、海水で洗うと塩味がつくことに気づいたサルがいたようで、海水でイモを洗う行動が群れ全体に広がることになりました。

このように、文化は動物の集団全体が共有して、親から子へと伝わり、時に変化していく性質を持っています。ほかにも、西アフリカのギニアにすむチンパンジーでは、石を使って硬《かた》いヤシの実を割る群れが見つかっています。食物に手を加えて食べやすくする行動を「調理」と呼ぶならば、イモ洗いや石を使って殻《から》を割るという動物の文化も、調理のひとつといえそうです。

◉人類の進化と調理

しかし、動物が持つ文化とヒトの持つ文化には少し差があるようにも感じます。ニホンザルやチンパンジーでは、調理に近い行動をする群れが存在しますが、そのような行動をまったくしない群れのほうが多いのです。動物の場合は、子どものときに群れからはぐれてヒトに育てられた個体でも、うまく訓練すれば野生に戻ることができます。このことは、文化がなくても本能だけで、生活することができることを意味します。

一方、ヒトの場合は事情が異なります。熱帯雨林や砂漠《さばく》など、さまざまな環境にヒトは暮らしていますが、その土地でうまく生きていくための方法、すなわち文化を知らなければ、わたしたちは生き残ることができません。ジャングルに飛行機が墜落《ついらく》してしまったら、あるいは船が難破《なんぱ》して無人島に漂着したら、多くの場合は生き延びることが難しいでしょう。

反対に、なぜヒトはさまざまな環境に暮らすことができるようになり、地球上のあらゆる場所で生息できるようになったのでしょう？　それは文化の力を最大限に発揮しているからだ、といえるでしょう。

例えば、世界中の人たちが食べている植物のデンプンであっても、加熱しないとわたしたちの消化器官ではうまく消化することができません。世界のどの民族を見ても、まったく加工しない食料だけを食べて生活しているヒトは存在していません。もともとは毒があって食べられない食材を、毒のある部分を取りのぞいたり、水にさらして毒を洗い流したり、火で加熱して無毒化したりして、食べられるようにしたから生き延びてこられたのでしょう。

ヒトには、親の世代からうけとる知恵である文化によって、生まれた場所の環境を生かした生活が可能になり生き延びてきたという、他の動物にはない特徴があるのです。なかでも、どのような動植物が食べられるのか、それをうまく食べられるようにするためにはどのような処理が必要か、素材と調理にかかわる情報は生存のために欠かせません。では、調理という文化の始まりは、どのくらい古くまでさかのぼるのでしょうか？

料理のための道具として、最も古い証拠は石器《せっき》です。石を打ち割って鋭《するど》い刃をつくり、動物を解体するために用いました(**図1**)。その歴史は、猿人《えんじん》が存在した300〜250万年前にさかのぼります。

石器という道具を使うことによって、自分の歯や爪ではうまく切ることができなかった動物の死体をばらして、なんとか食べることができるようになったようです。とくに、厚い骨に包まれている骨髄《こつずい》は、他の多くの肉食動物も食べることができない栄養豊富な部位ですが、石器でたたき割ることで人類はそれを取り出すことに成功しました。

人類の進化のなかで、火を使った調理が重要な役割を果たしたのではないか、という意見もあります。チンパンジーの野外調査で知られる米国の霊長類学者リチャード・ランガムは、ヒトが火を使って肉や植物を加熱するようになったことが、人類の進化において重要だと考えました。タンパク質である肉は加熱されると変性して、歯でもかみ切りやすくなり、消化に必要なエネルギーもずっと少なくなるのです。

おもしろいことに、霊長類のなかで比較した場合、体重に対する消化器官の重さが小さくなると、脳の重さが大きくなる傾向があるのです。わたしたちと同じホモ属とされる初期の原人が火を使って食物、とくに肉を消化しやすくしたことによって、人類は大きな脳を獲得したのではないかという説を、ランガムは『火の賜物《たまもの》』(2010年)という著作にまとめています。

図1　エチオピア・ゴナ遺跡から出土した260万年前の石器(『ウロボロス』22巻2号より転載)

◉土器とは何か

このように、人類の進化を考えるうえでも、食物を加工する「調理」という文化が果たした役割は大きかったといえます。それでは、およそ2万年前に登場した「土器」という道具は、人類進化にとってどのような意義をもつのでしょうか？　石器と火の使用という2つの調理との比較から考えてみましょう。

アフリカで見つかる数百万年前の石器は、いっしょに出土《しゅつど》する動物骨《どうぶつこつ》に石器による傷跡が残されていることから、動物の死体を解体するために使われたと考えられています。肉食動物の食べ残しから、残された肉や骨髄を取り出すために使用されていたのです。もともと草食動物だった人類の歯や爪は、動物を解体するには適していません。しかし、石器の鋭い刃を使えば、硬い皮や腱《けん》を切《き》り裂《さ》き、肉を細かくすることができます。石器は、歯や爪の代わりをする道具といえるでしょう。

一方、火による加熱には、食物の性質を変えてやわらかくしたり、毒の成分を除去したり、消化しやすくする役割があります。これらは、歯や顎《あご》といった咀嚼《そしゃく》器官と、胃や腸といった消化器官と消化酵素《こうそ》の働きを助ける機能です。調理という行為《こうい》は、もともとは体内で行われる消化の一部を体の外で手助けするもの、ということができそうです。

さらに言うと、道具というのは、ヒトがもともと体内にもっているさまざまな器官の役割を、体の外で行なったり、強化したりするものなのです。

　それでは、土器という道具は、人間のどのような器官を補助しているのでしょうか？　土器とは、粘土の形を整え、火にかけて高温にすることで固めて作った容器を指しています。ものを容《い》れるための器は、粘土だけではなくさまざまな素材から作られています。縄文時代の遺跡からも、木製の容器や植物の繊維で作ったバスケットが出土しています。また、動物の皮や胃袋や膀胱《ぼうこう》をしばれば、液体を入れる容器とすることも可能です。

　秋田県男鹿《おが》地方の郷土料理・石焼鍋《いしやきなべ》のように、水と食材を入れた木桶《きおけ》に焼き石を入れることで、食物を煮ることができます。焼き石を使った料理としては、地面に掘った穴に食材と焼き石を一緒に埋めて蒸し焼きにする、南太平洋の石蒸し料理は、大地を器にする料理といえるでしょう。土器だけにしかできない調理は、あまりないようです。

　あえて指摘するならば、時間をかけて液体を加熱しつづける調理は、土器がないと難しいかもしれません。長時間煮こんでつくる料理は、英語ではシチュー(stew)と呼ばれています。煮こみ料理とは、どのような特徴がある料理か、みなさんも考えてみてください。

◉土器で何を煮こんだのか？

いずれにせよ、土器は優《すぐ》れた道具だったに違いありません。それは、世界中にすぐに広まったことからも明らかです。多くの地域で土器は欠かせない道具となり、素材は金属にかわっても今日《こんにち》まで連綿《れんめん》と使いつづけられています。沖縄の先島《さきしま》諸島（宮古《みやこ》諸島と八重《やえ》山《やま》諸島）では土器を使用する伝統が中断するのですが、これは世界的にもめずらしいことです。

図2 長野県花上寺《かじょうじ》遺跡の土器に付着した炭化物（会田進撮影）

じつは、日本列島で作られた縄文土器は、世界で最も古い土器のひとつです。1999年に青森県大平山元《おおだいやまもと》Ⅰ遺跡から見つかった土器に付着していたオコゲで、時間とともに減少する放射性炭素《たんそ》を測定したところ、およそ1万6000年前のものだとわかりました（**図2**）。

もともと土器は、およそ1万年前に植物の栽培を始めた農耕民が、保存容器として発明したと考えられていたので、この年代には世界中の考古学者が驚きました。その後、中国では2万年前にさかのぼる土器が見つかっています。農耕が始まるはるか以前に、狩猟採集民《しゅりょうさいしゅうみん》が土器を使っていたのです。

長い間、縄文土器が使われ始めた年代は、およそ1万年前だと考えられていました。放射性炭素を使った年代測定ができるようになって間もない1960年に、神奈川県の夏島貝塚《なつしまかいづか》で出土した貝殻と木炭《もくたん》が、9000年前よりも古いと報告されました。それまで、縄文土器の年代は古くても4500年前までと考えられていたので、この年代は日本の考古学者の間で大きな議論になりました。その後、同じように古い年代が縄文時代の遺跡で報告されるようになり、1967年には長崎県の福井洞窟《どうくつ》でおよそ1万2000年前という年代が報告され、これが最古の縄文土器の年代とされていました。

当時、放射性炭素による年代測定は、そこまで正確な年代を示すことができないと考えられていました。そのため、縄文土器が登場したのはおよそ1万年前で、氷期から間氷期《かんぴょうき》に移行するタイミングと一致すると考えられていたのです。

氷期・間氷期というのは、太陽の周りを地球がまわる公転と地球の自転のぶれで生じる、寒暖のサイクルのことです。過去100万年間は、およそ10万年間の寒い時期(氷期)と1万年の暖かい時期(間氷期)を繰り返しています。現在は約1万年前に始まった間氷期が続いていますが、その温暖化のタイミングで土器が利用され始めた、というのが当時の考えでした。

考古学者たちは、日本列島が森林におおわれるようになり、たくさんの木の実を加熱することができる土器が重要な道具になったので、土器の始まりが1万年前の温暖な気候と関係すると考えたのです。秋に実るブナ科のドングリのように、苦みや毒のある灰汁《あく》を抜く必要がある木の実を、一度に大量に加熱処理できるので土器は便利だったと説明できます。

しかし、放射性炭素で実際の年代を正確に推定できるようになると、これまでの測定結果は実際よりも若い年代になっており、実際の縄文土器の登場は1万1000年前に始まる温暖期よりも5000年も古い、非常に寒い時期だったことがわかったのです。

◉土器の使い方を調べる

では、なぜ寒い時期に縄文土器が登場したのでしょうか？　中国で見つかった世界最古の土器から縄文土器が現れる2万〜1万6000年前という時代は、およそ10万年間つづいた氷期のなかでも、最も寒かった時期です。寒冷な環境で新たな食料が必要になったので、土器によって色々な食材を調理した、という説明がなされています。しかし、具体的にどのような資源を利用したのか、遺跡から得られる証拠を示すことが困難でした。

　ところが２０１３年に、縄文時代最初の時代区分である草創期の土器は、魚介類を「加熱」したのではないか、という論文が発表されました。英国ヨーク大学のオリバー・クレイグ教授らが、土器のオコゲに残っていた脂質《ししつ》という成分を分析した結果に基づいた論文です。脂質というのは、生物が作る水に溶けない成分の総称で、脂肪やコレステロールなどが含まれます。脂肪を構成する脂肪酸のなかで、魚介類に多く含まれる不《ふ》飽和《ほうわ》脂《し》肪酸《ぼうさん》に由来する特別な物質が、縄文時代草創期の土器に多く含まれることがわかりました。

　縄文時代に魚介類を利用した証拠としては、沿岸部に数多く残されている貝塚がよく知られています。しかし、現在まで残されている貝塚は１万年前よりも古いものはないので、脂質分析の結果を意外に思った研究者が多かったと思います。

　ですが、１万年前よりも古い貝塚がないのは、海産物を利用しなかったためではないかもしれません。なぜならば、１万年前に起こった温暖化にともなって、海水面が最大で１２０メートルも上昇したからです。１万年前よりも古い貝塚は、海の底に沈んでいる可能性を考える必要があります。縄文時代草創期に海産物を利用した証拠が見つかっていないように、海産物を利用しなかった証拠も見つかっていないのです。

土壌《どじょう》が酸性で骨が溶けてしまう日本列島では、貝塚が存在しない1万年前よりも古い遺跡では、石器しか道具が発見されず、骨や炭化した種や実などの食料の証拠もほとんど見つかりません。石器だけを見ていると、縄文時代よりも以前からあった狩猟用の大型の槍先《やりさき》の石器などが縄文時代にも使われつづけているので、狩猟を中心とした生活が想像されます。

とはいえ、骨や角《つの》で作った釣針《つりばり》や、銛先《もりさき》のような道具は遺跡に残らないので、1万年前よりも古い時代の生活についてはほとんどわかっていなかったのです。

ところが、脂質を分析したクレイグ教授らは、土器の使用目的が食材を加熱する調理ではなかったかもしれない、と推察しています。それは、沿岸だけではなく海からはなれた遺跡でも水産物を加熱したときにできる特殊な成分が多数見つかっているからです。

ここまでの議論では、道具は何か便利な機能があるから、多くの人々に使われるようになった、と考えてきました。しかし、魚介類を加熱する機能は、2万年から1万数千年前の寒冷期の生活では重要な役割をうまく想定できない、と彼らは考えました。

そこで、さまざまな民族調査から提示された、「新しい技術は社会的に高いステータスと結びつくことで広まった」という説で説明できるのでは、と考えたのです。現代社会でたとえるならば、最新型のスマートフォンを持っているとカッコいい、と多くの人が考えるようになることで、スマートフォンが普及した、という説明には一定の説得力を感じます。

◉縄文時代の食生活と土器

ところがクレイグ教授らの研究チームは、草創期に続く早期の土器でも、過熱された素材の大部分は魚介類で、土器の使い方は寒冷期の草創期から温暖期の早期になっても変化がなかったと報告しています。そしてこのことを、土器は日常の調理道具としてではなく、特殊な儀式や祭りのための道具として導入されたまま、数千年間にわたって同じような使い方から変化しなかった証拠としています。これは、日本考古学の常識である「土器は当初から煮《に》炊《た》きに利用されていた」という定説に異《い》を唱《とな》えるものです。

草創期になると、沿岸部では貝塚遺跡が現れるので、骨から狩猟された動物の種類を知ることができます。また内陸でも洞窟の遺跡が増えることから、動物の骨や炭化した植物の情報を得られます。例えば、年代測定で縄文時代が非常に古いことを明らかにした夏島貝塚では、マガキの貝殻にまもられて、クロダイやカツオなど沖合にすむ魚の骨、さらに多くのイノシシの骨が見つかっています。食生活には海産物だけではなく、陸上の哺乳類も利用されていたことは確実です。

また、地下水につかった状態で植物質が腐食せずに保存された低湿地《ていしっち》遺跡である佐賀県の東名《ひがしみょう》遺跡では、8000年前に地下の貯蔵穴《ちょぞうけつ》に埋められたドングリがそのまま見つかりました。1万年前ごろから暖かくなった環境では、陸上に暮らすさまざまな動物や植物を食料として利用していたはずですが、土器を使わずに調理したというのは本当なのでしょうか。

そこでわたしたちは、別の分析方法を用いておよそ1万年前の土器の使い方を検討することにしました。ほぼ同時代に存在した沿岸の遺跡と内陸の遺跡で、土器の内面に付着したオコゲの成分を比較したのです。沿岸の遺跡は、これまでに何度か登場した神奈川県の夏島貝塚です。内陸の遺跡は、長野県の栃原岩陰《とちばらいわかげ》遺跡という洞窟《どうくつ》遺跡の土器を調査しました（**図3**）。

栃原岩陰遺跡からは、多量のシカ、イノシシなど哺乳類の骨に加えて、海から川をさかのぼってきたと考えられるサケのなかまの骨や、タカラガイ、イモガイ、アオザメの歯など海産物も少数ですが出土しています。

図3　栃原岩陰遺跡

分析したのは、オコゲに含まれる窒素《ちっそ》と炭素という原子です。なかでも、少しだけ重さの違う窒素14と窒素15の割合に着目しました（この重さの違う原子のことを「同位体《どういたい》」といいます。詳しくはⅣ章1参照）。海や湖にすむ動物の体内では窒素15の割合が、陸上の動物よりも高くなるという特徴があるので、オコゲに海産物が含まれていれば窒素15が多いと期待できます。反対に、陸上の動植物を加熱してできたオコゲは、窒素15の割合が少ないはずです。

およそ1万年前の土器にこびりついたオコゲの窒素15は、沿岸の夏島貝塚で高く、内陸の栃原岩陰遺跡では低いという大きな違いがありました（**図4**）。このことは、沿岸では海産物を多く加熱し、内陸では陸上の資源を多く加熱したことを示しています。

この2つの遺跡を比較することにしたのは、土器と同じ時期の人骨が出土しているからです。どちらの人骨も7000年前ごろと少し後の年代になりますが、土器のオコゲの窒素15

の割合と同じように、沿岸の夏島貝塚では窒素15を多く含み、内陸の栃原岩陰遺跡では窒素15の割合が少ない傾向がありました(**図5**)。

わたしたちの体は食べものから作られているので、夏島貝塚の人骨で窒素15の割合が高か

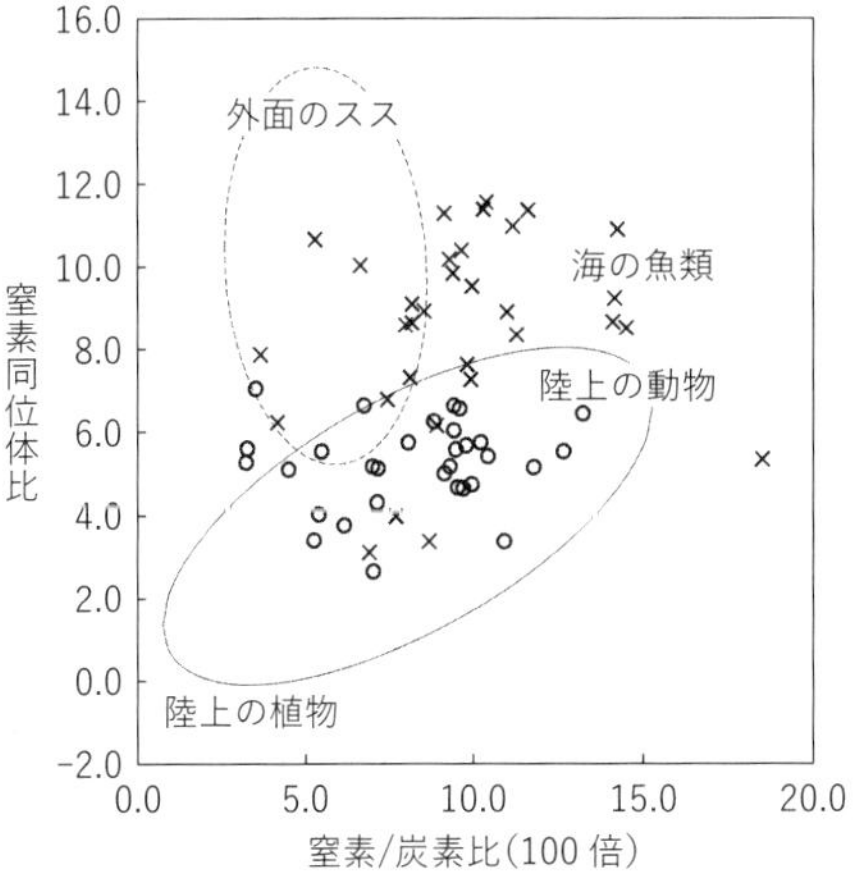

図4　夏島貝塚(×)と栃原岩陰遺跡(○)の土器内面のオコゲの窒素の相対濃度と同位体比

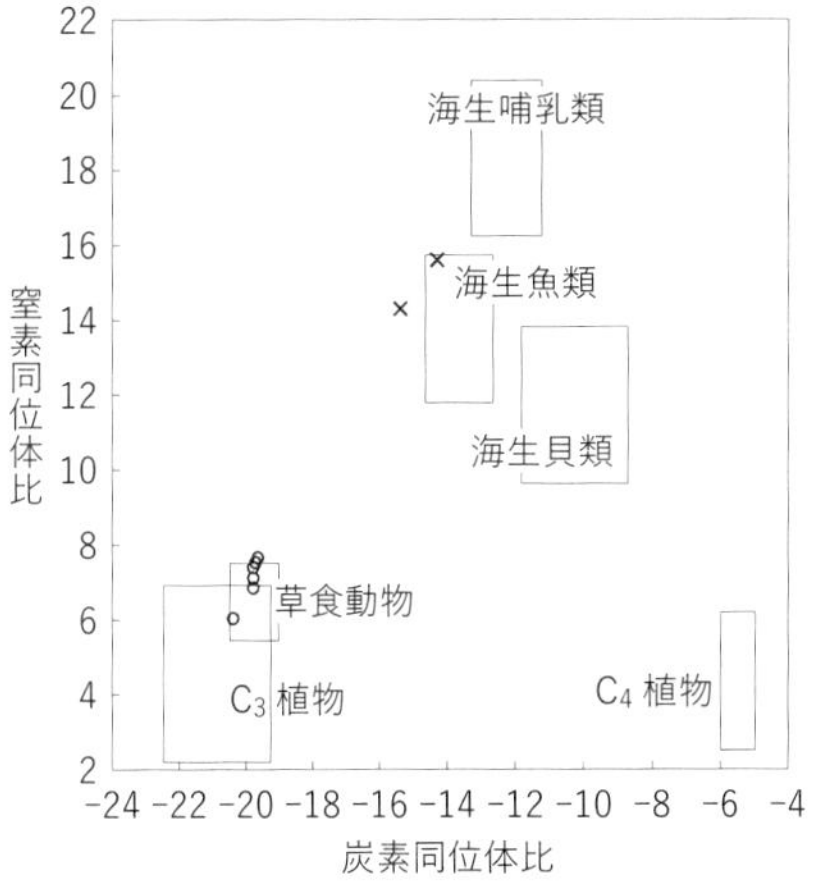

図5　夏島貝塚人骨(×)と栃原岩陰遺跡人骨(○)の炭素・窒素同位体比

ったのは、食物でも窒素15の割合が高かったからだと推測できます。夏島貝塚と栃原岩陰遺跡で人骨とオコゲの成分が同じような違いを示したので、やはり1万年前には土器を使った料理を縄文人は食べていたと考えられました。

◉なぜ、違う結果がでたのか？

土器に残る脂質の分析では、縄文土器は長期間にわたって、おもに魚介類を煮炊きするための道具だったと推測されたのに対し、土器の窒素15の割合からは、1万年前の温暖期には陸上の資源も含む食物の調理に使われていた、と推測されました。

どうして、2つの分析法で異なる結果がでたのでしょうか？

ひとつの理由は、脂質の分析は魚介類を見つけるのが得意な分析法だという点です。少量でも魚の油が入っていれば、それを高い確率で見つけることができます。一方、シカ、イノシシや植物に由来する脂質は、特別な成分として見つけることができないので、脂質全体のなかで占《し》める割合が大きくないと、その存在が確認できません。そのため、少量でも検出できる魚介類は、全国の遺跡から検出できたのに対して、陸上の動植物の利用はかなり見えにくなっていたのではないか、とわたしは考えています。

もうひとつは、分析対象が土器に限られている点に問題があるかもしれません。脂質の分析は、遺跡の立地（緯度・経度や標高、海からの距離）に着目して研究していますが、道具の組《そ》成《せい》（含まれる道具の種類の割合）や出土する動物の骨などについては、検討していません。わたしたちは、遺跡から出土する動物の組成でも、狩猟や漁に使う道具の組成でも、明らかに異なる生活をしている2つの遺跡で比較を行いました。

過去の人々の生活の痕跡《こんせき》は、ほんの一部しか遺跡には残されません。そのなかで失われたり、変化したりすることも多いので、全体像を知るためにはさまざまな角度から光をあてる必要があります。土器のオコゲの分析だけではなく、人骨の分析結果や動物の骨や道具の組成の違いなど、できるだけ色々な生活の痕《あと》を集めることで、はじめて過去の人々の生活を少しだけ知ることができたのだと思います。

2 縄文《じょうもん》の塩作り

阿部芳郎

みなさんの家の食卓や台所には、食塩があると思います。今日《こんにち》の食文化では健康のために塩分のとりすぎは注意されることが多いのですが、現在でも、塩はたくさんの食べ物の加工や味つけに用いられていることはご存じかと思います。

料理には五味《ごみ》といわれる味があります。それは甘い・辛《から》い・酸《す》っぱい・苦い・しょっぱいです。舌には味蕾《みらい》と呼ばれる味を識別する器官があります。食べ物の味は、まず味蕾によって感知され、脳に信号が送られるのです。

塩はナトリウムとカリウムが結合してできた結晶物です。海の水がしょっぱいのは、海水に塩が溶けこんでいるからなのです。一般的には、海の水には約3パーセントの塩が溶けこんでいるとされています。四方《しほう》を海に囲まれた日本では、この海水から塩を作り出す技術が古来より発達してきたのです。

百人一首に、「来《こ》ぬ人をまつほの浦の夕なぎに焼くや藻塩《もしほ》の身も焦《こ》がれつつ」という藤原《ふじわら》定家《のていか》の和歌があります。そこに塩作りの手がかりをはじめに見つけたのは、江戸時代の古代文献史学の研究者でした。塩(しほ)を焼くという文字と藻(海草)が、塩作りに関係すると考えたのです。

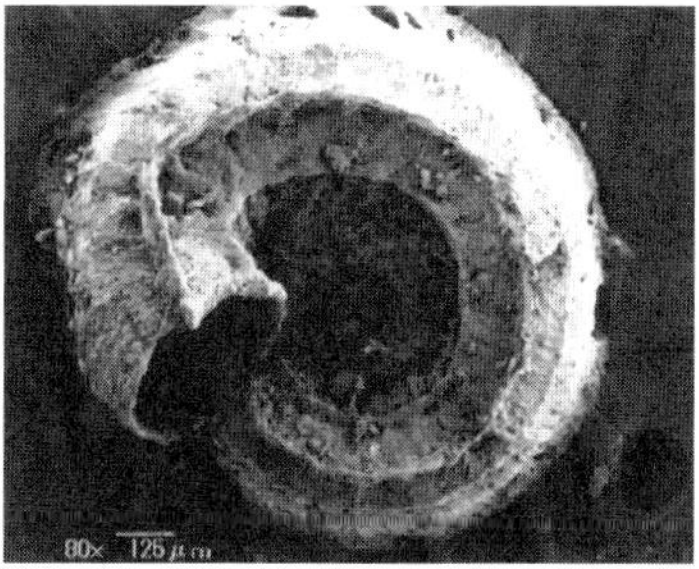

図1 ウズマキゴカイの棲管

しかし、そのことを具体的に示す物的な証拠は、まだ発見されていませんでした。この仮説は、のちに考古学者によって、遺跡《いせき》の灰の分析から検証されることになります。

愛知県の松崎《まつさき》遺跡の発掘で、製塩土器とともに遺跡に残された灰の層から、ウズマキゴカイというアマモ(海草の一種)に付着する生物の棲管《せいかん》(生物が炭酸カルシウムからつくる管状の殻《から》)が大量に発見されました(**図1**)。しかもそれは黒く焼けていたのです。同じ時期に、福岡県海《うみ》の中道《なかみち》遺跡でも同じ発見がありました。

これらの発見から、乾燥した海草に繰り返し海水をかけて塩分を結晶化させるという古代の塩作りの光景が復元されました。ただし、なぜ海草を焼く必要があったのか、その時はまだはっきりわかっていませんでした。

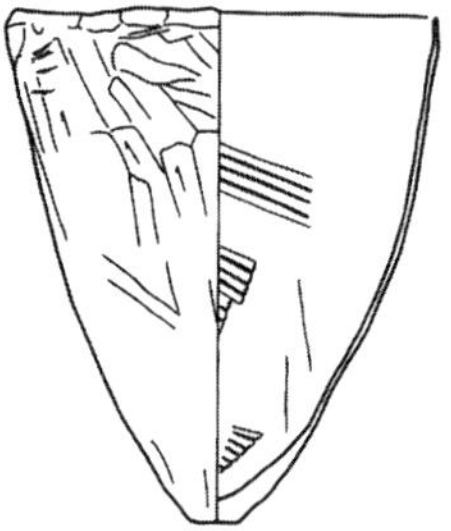

図 2　製塩土器(茨城県上高津貝塚出土)．表面と内面に付いている線は，文様ではなく土器の製作過程で付いた工具の跡

◉塩作りの歴史

これまでの日本の考古学の研究では、塩作りの起源は約3500年前の縄文時代後期とされてきました。それは製塩土器と呼ばれる、とても薄《うす》くてまったく文様《もんよう》のない土器が出現する時期を根拠としたものです(**図2**)。

土器そのものに塩が付いていれば、製塩土器は苦労せずに簡単に見つけることができます。しかし塩は水に溶けやすい性質があるので、塩が土のなかにそのままの形で残ることはありません。ですから、薄手で文様がなく、強く加熱された跡が残ることや、出土《しゅつど》した遺跡が海の近くの浜に残されているという状況証拠が、製塩土器の特徴として研究者に広く認識されました。

その後の研究で、関東地方や東北地方の太平洋岸の縄文時代の遺跡でも、同じ特徴の土器が出土するということが知られるようになり、東日本では縄文時代に製塩が行われていたことがわかりました。

ところで、わたしの本格的な塩の研究は、必ずしも初めから周到に計画されていたものではありませんでした。

ある日、わたしは顕微鏡を使って、骨で作られた道具の表面の傷を観察していました。しかし、その研究は残念ながら失敗に終わりました。研究室には、さまざまな遺跡の出土品が保管されていました。その時、たまたまかたわらに製塩遺跡で採集された灰の塊《かたまり》があったので、休憩時間に、試しにこの灰の表面を観察してみることにしました。

するとそこに、黒く変色したウズマキゴカイの棲管が見えたのです。しかもその数は1つではなく、複数がまとまっていました。つまりそれは、ウズマキゴカイが生息する海草・アマモがこの遺跡の製塩にも使われていたことを示唆《しさ》していました。

そこでわたしは、古代の製塩研究での発見に関する研究があることを思い出しました。遠い昔に和歌にも詠《よ》まれた古くからの塩作りの伝統が、なんと縄文時代にまでさかのぼって続いていたと想像できたことは驚きです。この時はじめて、小さな顕微鏡のなかに昔の塩作りの光景が見えたような気がしたのです。この発見がきっかけとなって、「海草を焼いて利用した塩作りの技術は、一体いつごろまで古くさかのぼるのか？」という問題をつきとめる研究がはじまりました。

◉さかのぼる塩作りの起源

この時点では、製塩の起源の定説は、縄文時代後期の約３５００年前とされていました。製塩の起源を古くさかのぼって調べるためには、当然、より古い時代の遺跡を調べなくてはいけません。しかもそれは「製塩土器はまだない」と考えられていた時代ですから、手がかりは焼けたウズマキゴカイの棲管（**図1**）だけになります。

次に分析したのは、約５０００年前のさらに古い時代の千葉県にある遺跡で、そこに残る堆積物《たいせきぶつ》を観察しました。コーヒーカップ１杯程度の遺跡の土を、超音波洗浄機で土と混入物に分けて顕微鏡で観察して、焼けたウズマキゴカイの棲管を探します。

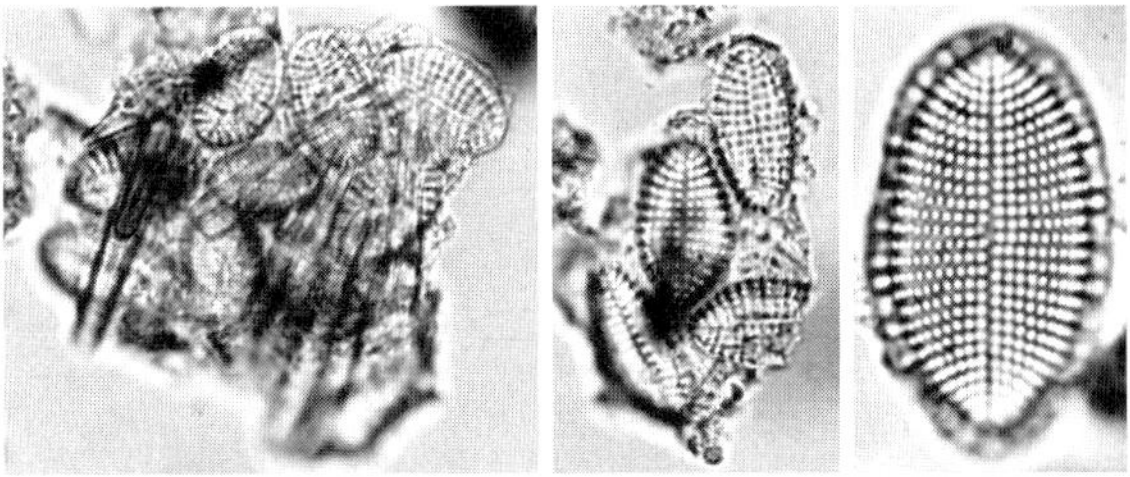

図3　海草に付着するたくさんの珪藻(右は単体)

実際にその作業を行なってみると、研究室で朝早くからはじめた作業が終わるのは夕方か夜になるころでした。手がかりのつかめない時間が長く過ぎました。

しかし、ついにそれを見つける瞬間が訪れたのです。従来の定説とされてきた時期よりも古い、約４２００年前の遺跡の貝層からの発見でした。製塩土器と一緒に見つかった、焼けたウズマキゴカイの棲管。それがこの遺跡からも見つかったということは、ここでも製塩が行われていたことを示しています。

この発見で、従来は３５００年前と考えられていた塩作りの歴史が、一気に７００年あまりも古くさかのぼることになったのです。この時期は製塩土器が出現するずっと以前なので、製塩の手がかりは、焼けたウズマキゴカイと海草の上に生息する珪藻《けいそう》と呼ばれる植物プランクトンだけです(**図3**)。

より古い時代の製塩の可能性はないのだろうか？　興味は尽き

ません。そのあと約5000年前の遺跡の堆積物を入手することができ、ふたたび研究室での地道な作業がはじまりました。するとほどなくして、また焼けたウズマキゴカイの棲管を見つけ出すことができたのです。

こうして、日本での製塩の開始時期については、現時点でも5000年前までさかのぼることがわかりました。東アジアで最も古いことは確実です。いまわたしは、その起源や塩作りが、なぜどのようにしてはじまったのか、その理由が知りたいと考えています。

◉塩作りの方法

ところで、縄文人は海水からどのようにして塩を作り出したのでしょうか？　海水には3パーセントほどの塩が含まれているので、問題は97パーセントの水分をいかにして取り除くか、ということになります。

現在でも一部で行われている塩田《えんでん》による製塩は、広い砂浜に海水をまき、水分が蒸発するときに、砂に塩の結晶が付着するという原理を利用したものです。塩の付いた砂をかき集め、その上からさらに海水を注いで濃い塩分濃度の塩水(鹹水《かんすい》)を作り、これを鉄釜《てつがま》で加熱して、水分を蒸発させて塩を結晶化させます。中世から近世にわたって、日本各地で塩田がつくられた記録が残されています。

では、塩田出現以前の縄文時代の状況はどうだったのでしょうか？　その答えを知っているのが、製塩土器なのです。しかし、焼けたウズマキゴカイの棲管だけでは、焼いた海草の灰と塩作りの技術とを結びつける直接的な証拠にはなりませんでした。

◉先生、出ました

こうした問題を教え子たちと話していたある日、遺跡の発掘に携《たずさ》わる教え子のひとりから、灰の入った土器が貝塚《かいづか》から発見された、と連絡を受けたのです。

土器は破片になって割れていましたが、注意深く観察すると、小型の煮炊《にた》き用土器のなかには、確かに灰が入っていました。そしてこの灰を洗浄して顕微鏡でのぞいてみると、なんと、焼けたウズマキゴカイが含まれていたのです。しかも、土器には加熱された跡が観察できました。そのことから、海草を焼いた灰を土器に入れて、加熱していたことがわかりました。

図4　製塩の実験

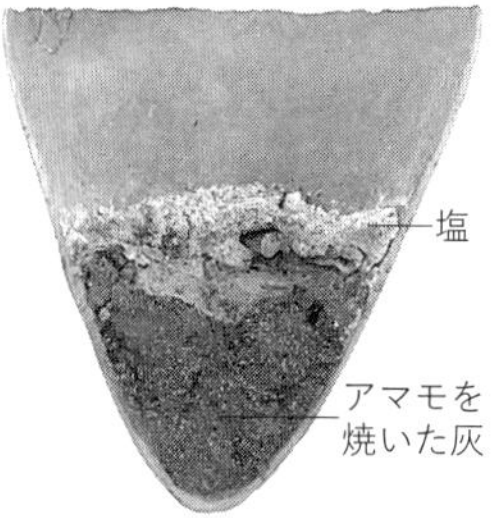

図5　土器の内面にできた塩の結晶

問題は、なぜそのような状況が起こったのかということです。一般に製塩土器は、海水を入れて煮沸《しゃふつ》し、水分を蒸発させて塩を土器の表面に結晶化させるという使用方法が考えられていました。

◉塩作りの実験考古学

これまでの成果を踏まえて、わたしは製塩の実験を計画しました。自然の粘土を調合して製塩土器を作るところからはじめて、海岸で集めたアマモを焼いて作った灰を浜辺で土器に入れて火にかけました(**図4**)。

土器の内側は300度を超える高温になりました。海水を注ぐと、海水は、いったんは熱い灰のなかにしみこみ、次に灰の上面の土器に接触する部分で沸騰《ふっとう》して泡立ちはじめ、その部分に白く結晶化した塩が付いてきたのです(**図5**)。そして海水を少しずつ注ぎ続けると、塩の結晶は、次第に大きく発達してくることもわかりました。

水分が浸透《しんとう》し、蒸発するために上昇する現象は、毛細管《もうさいかん》現象と呼ばれる原理です。この原理は、温度が高いほど蒸散率《じょうさんりつ》が高まり、早く結晶化が起こるのです。ちなみに土器の内面の温度が100度を超えているという事実も大切です。通常、水は1気圧の大気だと100度で沸騰します。

ここで、土器に海水だけでなく、灰も入っていることが重要なのです。灰は粉体《ふんたい》ですが、海水だけを煮炊きするよりもずっと高温の状態で毛細管現象が進むので、明らかに結晶速度が速まります。縄文人は、この原理に気づいていたのかもしれません。海草を焼いた灰が微《び》粒《りゅう》である点や、砂地の海岸には夏のころに大量の枯れたアマモが打ち上げられることも関係するのかもしれません。

こうしてわたしは縄文の塩作りの再現を試みました。するとその過程で、土器製塩の後の時代に出現する古代の塩田とのつながりが見えてきました。

つまり土器製塩は、高温の土器のなかで毛細管現象を活発化させて塩を作り出すのに対して、塩田は土器のように高温にはできないものの、広い面積に海水をまいて砂に塩を付着させる特徴が指摘できるので、天然の日射と風に頼るぶん、水分が蒸発する速度は遅いものの、広い面積で大量の塩を生産することが可能となるのです。

当然のことですが、大量の砂から塩を取り出すには多くの手間《てま》と労働力が必要です。このことは、塩田の出現が、巨大な古墳を造営したり、田畑を耕したり、水路が掘削《くっさく》されたりと多くの労働力が必要とされる古代以降になることとも深く関係していると思われます。

このように、考古学は仮説の正しさや妥当性《だとうせい》を確認するための地道な出土品の観察や、それを検証する実験がとても大切だということがおわかりいただけると思います。

最近は、当時の生活に思いをはせて粘土で土器を作ったり、大昔の生活を想像して食べ物を土器で煮たりして食べるという取り組みをよく目にします。ただ、想像のみを再現することは楽しい実演ではあっても、科学の実験ではありません。こうした実演で注意が必要なのは、自分の思い通りの結果になると、それが事実であったかのように勘違いしてしまう危険性があるということです。時には想像だけで十分と思われるようなことも、実験によって大きな盲点に気づいたり、課題を見つけたりできるのです。

◉塩はみんなの資源だったのか?

それでは、海水から作られた塩はどのように利用されたのでしょうか? この問題を考えるために、結晶塩《けっしょうえん》は日本のどこで作られていたのかということを知る必要がありました。

近世以降の食文化を調べてみると、北海道のアイヌの食文化史には、塩を作ったという記録はほとんどありません。むしろ北海道には、江戸時代に本州から持ちこまれた塩が使われた記録があります。

しかし、アイヌの人々の食文化には、秋になると川を遡上《そじょう》するサケをたくさん利用した記録があり、さらにトドやアザラシなどの海獣類を盛んに食料としたことがわかります。結晶塩は用いませんが、たくさんの海の資源を食べていたのです。

また、沖縄を含む南島《なんとう》地域にも、近世以前の製塩の痕跡《こんせき》はほとんどありません。しかし、沖縄の郷土料理には魚を海水で煮る「マース煮(沖縄の言葉で、マースは塩のこと)」という料理があり、たくさんの海産物と海水を利用していたことがわかりますが、結晶塩を利用した痕跡は見つかっていません。

こうして見てくると、日本での海水から塩を取り出して使う文化は、北海道と南島を除いた本州地域ではじまったことがわかります。しかもその方法は、土器で海水を煮るという行為が起源になっているようです。

海に囲まれた日本では、海水の入手に苦労したとは考えられません。海辺であればどこでも塩を作ることができたはずなのに、なぜ製塩土器が出土する地域と時期が限られているのでしょうか？　こうした事実は、狩猟採集《しゅりょうさいしゅう》社会であった縄文時代は、身の周りのものを自由に利用して豊かな生活をしたという理解とは異なり、塩を必要とする人々が日本列島のなかでも限られていたことを示しています。こうした歴史的な事実は、狩猟採集社会であっても、資源の選択的な利用があったことを教えてくれるのです。

余談になりますが、塩は英語でソルトといいます。「サラリーマン」という言葉を聞いたことがあると思いますが、サラリー（給料）の語源はソルトなのです。古代ヨーロッパでは、塩は単に調味料としてだけでなく、労働の対価として、お金と同じものとして利用された歴史があるからです。塩の歴史にまつわる話は、わたしたちの身の周りにもあるのです。

◉わたしの数奇な塩作りの研究

　ここまで、わたしが縄文時代の製塩をどんなきっかけで、どのように行なってきたのか、お話ししてきました。遺跡で製塩土器の破片を掘り出したこともありました。たまたま研究室でのぞいた顕微鏡のなかにそのヒントを見つけたことが大きなきっかけになったのです。わたしと製塩の研究には、いくつかの偶然が関わっていました。しかし、物めずらしいものを見つけただけでは、研究にはなりません。

　わたしがこの研究をはじめて間もないころ、恩師の先生が発掘した製塩土器の遺跡の話を聞かせてもらったことがあります。先生は塩の専門の研究者というよりも、縄文時代の生活や文化を比較研究されていました。

　先生は、「縄文時代は地域性の豊かな生活が各地に存在したはずで、そのことを科学的に証明したい」とおっしゃっていました。この遺跡の発掘で遺跡の灰を採取されたこともお聞きしましたが、その分析はなさらないまま時は過ぎて、資料は私が勤める大学の博物館の収蔵庫の片隅に埋もれてしまったようでした。

　わたしはその後、貝塚の発掘で堆積物から焼けたウズマキゴカイの棲管を見つけ出す方法を確立しました。そして、いつかの先生との会話を思い出して、なんとかその灰や土の分析をしたいと、博物館の収蔵庫を探してみました。すると、資料を収蔵するコンテナの片隅から、ほこりをかぶったビニール袋に入った、黒い土のように見える灰が見つかりました。さっそくその灰を分解して顕微鏡で観察してみると、なんとそこから焼けたウズマキゴカイの棲管がたくさん見つかったのです。

こうしてみると、わたしの製塩の研究は決して平坦で順調なものではありませんでした。たくさん失敗もしましたが、試行錯誤《しこうさくご》の末のわずかばかりの成果をともに喜んだり、新しく出くわす課題に対して助言をくれたり、忍耐の必要な作業を一緒に手伝ってくれたりした学生たちの協力があったからこそ、なんとかここまで歩いてくることができました。

その過程では、本来の考古学の研究だけではなく、海草や珪藻の生態やそれらの痕跡の見つけ方にも、ずいぶん長い時間と手間を費やしてきました。しかしそれでもまだ、肝心の塩を利用した人々の生活の実態解明には手が届いていません。

◉広がる研究——時代や地域をこえて

遺跡の土中に製塩の痕跡を確認する方法が確立し、わたしの研究は広域《こういき》に、そして、時代を超えて広がりつつあります。石川県の能登《のと》半島には、古代の製塩遺跡が海岸部にたくさん残されています。ただ、これらの遺跡は製塩土器と製塩に使われた炉《ろ》の跡が発見されているだけで、ウズマキゴカイの棲管は見つかっていませんでした。

そこでさっそく能登の遺跡で採取された土をもらって一連の分析をはじめてみると、複数のウズマキゴカイの棲管が出てきたのです。こうして北陸地方の古代の遺跡で、はじめて製塩土器以外に海草利用の証拠を見つけることができました。

また、東北地方では、宮城県松島湾の沿岸にある縄文時代の晩期から古代までの遺跡の堆積物の分析を行い、焼けたウズマキゴカイの棲管を見つけ出すことに成功しました。

これまでの研究では、東北地方では縄文時代の終わりに塩作りがはじまり、それは途絶《とだ》えることなく弥生《やよい》時代を経て、古墳時代については不明な点があるものの古代にまで連続することが、製塩土器の研究から指摘されていました。それは塩作りには、海草を焼いた灰を用いるという、縄文時代以来の技術が続いていたことを示しています。

興味深いのは、同じ方法で分析しても関東地方は縄文時代の終わり（晩期）で製塩は消滅して、弥生時代にまで続かないことです。こうして各地の塩作りの歴史を見てくると、本州のなかでも塩作りのあり方は地域や時代によって多様であることも次第に明らかになってきました。

現時点では、東海地方以西では、まだ縄文時代にさかのぼる痕跡は見つかっていません。ただし、はじめにも述べておいたように、製塩の存在を確認することは製塩土器の有無だけではわかりません。わたしたちの開発した手法の分析を続ければ、いつか塩作りの痕跡が見つかるかもしれません。この研究は現在も進行中で、日本における塩作りの歴史的な意味が完全に説明できたわけではないのです。

◉製塩土器はどのようにして生まれたのか

製塩土器が出現するのは縄文時代の後期後半ですが、製塩土器の母体となる土器があることがわかってくると、製塩専用の土器は何から生まれたかがわかります。製塩土器は縄文土器の仲間ですが、縄文どころか文様がまったくありません。表面はヘラのような工具を使って削った時に付いた痕《あと》が残されているのです。

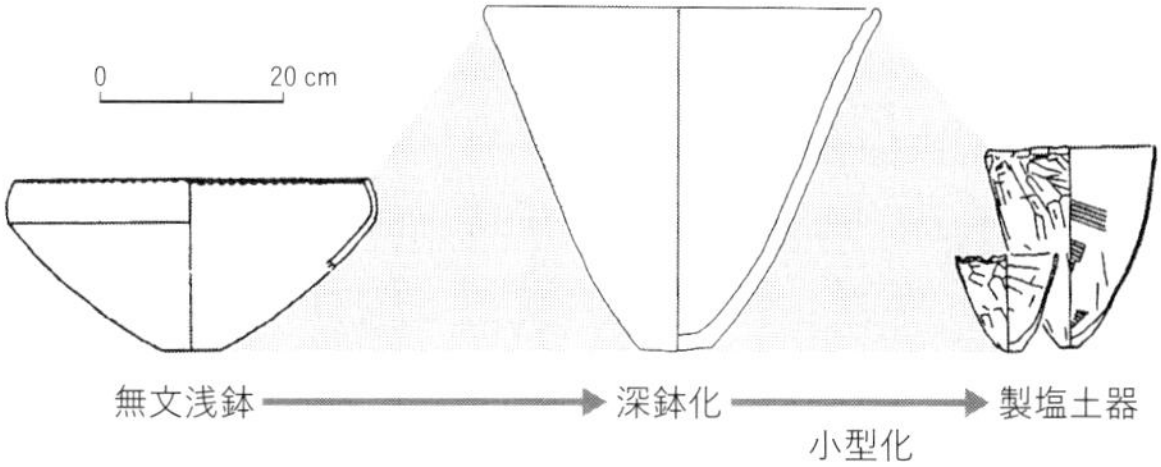

図6　製塩土器ができる過程．無文浅鉢から深い鉢になり，それが小型化して製塩土器(大きめのものと小さめのものがある)に変化していったと考えられる．表面にヘラの削り痕が付いている範囲を，灰色で示す

同じ特徴をもつ土器をより古い時期までたどって探してみたら、ひとつの土器と結びつきました。それは、なんと製塩土器のような深鉢形《ふかばちがた》ではなく浅鉢形の土器で、口のあたりには、わずかに残るみがかれた部分のほかに、表面に削った痕があります。「無文浅鉢《むもんあさばち》」と呼ばれる土器です。どうやら、この土器が深鉢形に変化して製塩土器ができるのではないか、という予測が立ちました(**図6**)。

今度はこの土器を徹底的に観察して、推測を裏付けるための資料調査がはじまりました。すると、この仮説を検証するのに恰好《かっこう》な遺跡が見つかりました。その遺跡の出土品を収蔵している施設にお願いして、ひとつの住居址《あと》から出土したすべての土器片《どきへん》を見せていただくことにしました。こうした調査は、2度目の発掘のようなものです。すると、この仮説に適合しそうな土器片がいくつか見つかりました。少しだけ、地道な努力が報《むく》われたのです。また、すべての土器片の数を数えると、無文浅鉢が占める割合は全部の土器のなかで、わずか2パーセントにすぎませんでしたが、それがわかったことも大きな成果です。出土量が少ないということは、消費量が他の土器に比べて少ないことを示しているからです。

たくさんの土器の特徴を詳しく観察するのは、大変なこともありますが、ココと決めたら、実物をすべて自分で観察するということの大切さがおわかりいただけたかと思います。こうして製塩土器の母体となる土器が見つかると、他の遺跡の土器にも興味がわきます。

製塩土器の母体となる土器の研究とともに、これらの土器が出土する貝層の分析をはじめました。するとほどなくして、焼けたウズマキゴカイが複数発見されました。期待していたとはいえ、驚きました。さらに同じ土の珪藻分析(土や灰に含まれる珪藻を顕微鏡で探し出して種類を同定すること)も行うと、海草に付着する種類の珪藻が多数検出されたので、海草を焼いた灰を利用していたことがわかりました。

そして、製塩土器の母体となる土器ではないかと考えてきた土器の内面に残っていた土の珪藻を分析すると、ここからも海藻付着性の珪藻が見つかりました。これによって、土器の特徴から想定した製塩土器の系譜《けいふ》が明らかになったのです。

◉終わらぬ探究心

塩は、どのような人々に何のために利用されたのでしょうか？　この問いがこの研究の究極の目的になりそうです。

四方を海に囲まれた日本では、海水を浜辺で自由に利用することができたにもかかわらず、製塩が行われた地域は限定的であるということが、大きな特徴です。つまり縄文時代の製塩に極めて強い地域性があることは、縄文文化のもつ地域性を示している可能性が高いのです。

もしも食文化のもつ地域性と塩の利用が関係するのであれば、塩の利用背景も解明できると思います。また、縄文人は定住的な生活が普及すると、森のドングリやクルミなどの植物質の食料を主食として利用するようになる傾向が、人骨の食性分析から明らかにされてきました（IV章1参照）。あるいはまた中期以降になると、人々の食性が多様化するとわかってきたことも、製塩の研究と関係しそうな興味深い事実です。

もしこの想定が事実であるとするならば、同じムラに住んだ人々のなかでも、食べる物が異なる人々がともに生活をしていた可能性を示す重要な発見です。塩はひとつの集団で全員が利用したのではなく、利用者や利用の場面がかなり限定されていたか、利用場面が限られていたかもしれない可能性も考えてみる必要があるでしょう。

この難解で興味深い課題は、生活用具としての縄文土器の利用方法の多様化という視点からとらえたり、食文化の伝統として考えたりすることもできるかもしれません。

もともと土器を用いて海水から塩をとるという技術も、出現の当初から、縄文土器が煮炊きの道具として利用されたことに起因しているとわたしは考えています。モノを煮る技術の延長線上で海水を煮て塩を結晶化させたと考えると、その歴史は日本文化の基層形成と関係するのかもしれません。この課題は、製塩を研究しているだけでは手が届きません。

縄文時代は、四季の環境の変化に適応しながら定住的な生活が営まれました。その生活のなかに塩を位置づけてみることの大切さがわかると、今の研究に不足している部分を意識することができるのです。

縄文人の生きた世界に、また一歩近づいたような気がします。

III 章

縄文人が食べたもの

1 貝塚《かいづか》からわかる縄文《じょうもん》のくらし——動物考古学

樋泉岳二

◉動物考古学とは

貝塚の出現は、縄文時代を特徴づけるひとつの要素です。

日本列島は土壌《どじょう》が酸性の地域が多いため、貝殻《かいがら》や骨が溶けてしまって残りにくいのですが、貝塚では貝殻の成分である炭酸カルシウムにより土壌の酸性が中和されるため、貝殻や魚《ぎょ》骨《こつ》・鳥獣骨などがよく残されています。

こうした動物の「残り物」を、わたしたちは「動物遺体《どうぶついたい》」(または「動物遺存体《どうぶついそんたい》」)と呼んでいます。これらの動物遺体は、過去の人びとが利用した動物の種類はもちろん、遺跡内外の自然環境や食生活・生業《なりわい》、人と自然との関わり合いの歴史を解明するための重要な歴史資料です。こうした資料を扱う研究分野は「動物考古学」と呼ばれています。

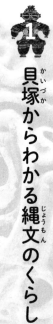

ここではまず、動物考古学の方法、貝殻や動物骨《どうぶつこつ》などからわかることを解説し、次いで動物考古学から明らかになってきた縄文文化の特色の一端を紹介します。

◉動物考古学の方法

動物遺体の分析は、まずその部位と種類を調べて（同定《どうてい》）、必要に応じて計測・体長の推定、年齢の推定、性別の判定などを行います。これらの情報は、利用された動物資源の構成、いつ、どこで、どうやって獲《と》っていたのか（季節、漁場・猟場、捕獲技術など）、捕獲圧《ほかくあつ》（獲物《えもの》を獲ることが動物群の年齢構成などに与える影響）や家畜化などの問題を考えるうえで、とくに重要です。また、遺体の破損状態や解体痕《かいたいこん》なども、解体・加工処理の方法などを検討するうえで重要です。

貝や骨の研究の出発点となるのは、言うまでもなくその生き物の種類を調べることです。この作業を「同定」と言います。具体的な同定の手順は、まず貝殻、魚骨、獣骨といった大きなグループに仕分けし、次いで個々のグループについて詳細《しょうさい》な同定を進めていきます。

貝殻の同定に関しては、日本では図鑑類が充実しているので、保存状態の良い資料なら初心者でもそれらとの比較によってある程度は同定できます(ただし破片資料の同定はけっこう難しく、また初心者には見分けることが困難な種類もあります)。

骨類(脊椎《せきつい》動物遺体)の同定は、貝類に比べて、かなりのトレーニングと経験を要します。手順としては、まず出土《しゅつど》資料の部位(骨格系のどの部分に相当するか)を特定したうえで、図録や現生種《げんせいしゅ》(現代の動物)の骨格標本と比較対照しながら種類をしぼりこんでいきます。ただし、哺乳類《ほにゅうるい》以外では図録が作成されている種類は限られており、また遺跡出土資料の多くは破片となっているため、実際の同定作業は現生骨格標本(現生種の骨格標本、現生標本ともいう)との比較、照合によって行われるケースが大半です。

年齢と捕獲季節の推定も重要です。年齢を正確に推定するには、貝殻や鱗《うろこ》、歯・骨などに周期的に形成される成長線(年輪)を利用する方法(成長線分析)が最も有効です。

わが国ではハマグリやアサリなどの二枚貝、クロダイなどの鱗、シカやイノシシの臼歯《きゅうし》などで年輪の形成が確認されています。とくにハマグリなどの成長線分析は、年齢のみならず、採取季節もかなりの精度で推定することができるため、多くの遺跡で分析が行われています(成長線分析について、詳しくは後述します)。

また、貝や骨のサイズからも大まかな年齢を推定できる場合があり、とくに成長初期の貝類や魚類では成長速度が大きいため有効です。

哺乳類では、若い個体については歯の萌出《ほうしゅつ》・交換（生《は》えかわり）が信頼性の高い年齢指標《しひょう》となるほか、萌出完了後は咬耗《こうもう》（すり減り）の進行状態が利用できます。また、四肢骨《ししこつ》の骨端《こったん》などは若い成長期には癒合《ゆごう》（離れていた物がくっつくこと）していないのですが、成熟すると癒合するので、そうした癒合状態も参考となります。

出土した一部の骨から本来の体長を推定する際には、「相対成長」の原理が応用されます。すなわち、ある部位骨のサイズが体長と相関している場合、両者の関係式を現生標本の計測に基づいて設定しておけば、出土遺体の計測値から体長を推定することができます。こうした手法は魚類遺体の分析で盛んに用いられているほか、破砕《はさい》された貝殻のサイズを復原する際にも有効です。

性別の判定に関しては、哺乳類ではニホンザルや鰭脚類《ききゃくるい》（トド、アシカなど）のように雌雄《しゆう》で形態差が著しい種類、あるいはイノシシの犬歯《けんし》のように性差が顕著《けんちょ》に表れる部位があり、これらでは骨の形態から性別を判別できます。シカの角《つの》のように雄《おす》だけに見られる部位も有効です。

こうして得られた動物遺体の種名・年齢・体長・性別といった情報は、以後の分析の基礎をなすだけに、その重要性はきわめて大きいのです。

遺体の出土数や量的な比率も、当時の人びとの食生活や生業《なりわい》、周辺環境、遺跡の性格などを考えるうえで重要な基礎情報です。動物遺体の出土数や比率を算定するための尺度として最も一般的に用いられているのは、同定標本数(Number of Identified SPecimens：NISP《エヌアイエスピー》)および最小個体数(Minimum Number of Individuals：MNI《エムエヌアイ》)です。

NISPは同定された標本数の総和です。MNIは最も多く出土した部位の数であり、資料のなかに最低で何個体が含まれているかを表したものです。魚類では椎骨《ついこつ》の数なども相対的な比率の目安になります。

◉貝殻の成長線分析

さて、ここで、先ほど紹介をした貝殻の成長線分析について、ご説明しておきましょう。
ハマグリなどの貝殻には「貝殻成長線」が見られることが知られています。「貝殻成長線」

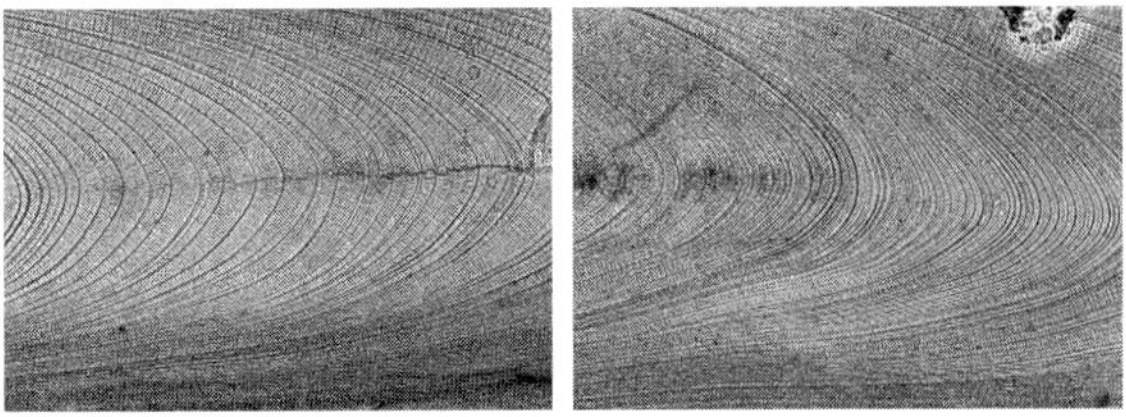

図1　ハマグリの貝殻成長線．左が夏，右は冬

とは貝殻の断面を顕微鏡で観察した時に見えるごく微細な縞模様《しまもよう》のことで、これを分析することで、その貝の年齢や成長速度、捕獲された季節などを知ることができます。

分析の方法は、まず貝殻を切断してエッチング(希塩酸《きえんさん》による晒《さら》し)を行います。次いで断面に特殊なフィルムを貼り付け、貝殻の断面像を写し取ります。これを顕微鏡で観察すると、多数の成長線からなる美しい縞模様を見ることができるのです(**図1**)。

このような成長線はどのようにして形成されるのでしょうか？ハマグリのように浅い干潟《ひがた》にすむ二枚貝の場合、一般に潮の満ち引きが原因と考えられています。つまり、潮の満ち引きが1回起こるごとに1本の成長線が形成されるのです。潮の満ち引きはおおむね1日に2回繰り返されるので、1日あたり2本の成長線が形成されることになります。

こうした成長線を殻頂《かくちょう》(貝の先端)から成長方向にたどって見てい

くと、成長線の間隔《かんかく》が著しくつまった部分、つまり成長が大きく低下する時期が繰り返し現れてくるのがわかります（**図1**右）。

ハマグリの場合、比較的暖かい海にすむ貝で寒さが苦手ですから、こうした成長の低下は毎年冬の水温低下によって形成された年輪と考えられます。ですから、こうした年輪がいくつあるかを調べると、その貝の年齢を、また最後の年輪から貝殻の末端部までの成長線の数をかぞえると、その貝が死亡した（採集された）季節を推定することができるのです。

◉動物考古学で何がわかるか

こうした方法を駆使して、現在では下記のような人と動物の関係性をめぐる、さまざまな問題が議論されています。

- 食生活の復原：動物質食料の内容、食料中に占《し》める比率など
- 生業活動の復原：生業の技術・季節性・活動域など
- 加工処理・流通過程の復原：解体・運搬・分配・交易《こうえき》・調理など
- 古環境《こかんきょう》の推定

・人間活動が環境に与えた影響の解明：絶滅《ぜつめつ》・移入・捕獲圧など
・家畜の起源・利用状況の解明
・骨角製品の生産技術の復原
・動物儀礼の復原　など

◉動物考古学からみた縄文文化の特色

日本列島で人類の生活痕跡《こんせき》が明確となる後期旧石器《きゅうせっき》時代（約4万〜1万6000年前）は氷期に相当しており、なかでも約2万数千年前ころは最も寒さの厳しい時期で、海面は現在より100メートル以上も低下し、日本列島は大陸と地続きに近い状態となっていました。

この時代の人びとは、ナウマンゾウやオオツノジカなどの大型動物の狩猟をおもな生業《なりわい》としていたと推定されていますが、日本列島では縄文時代よりも前の旧石器時代の動物遺体の証拠はきわめて限られています。

氷期も終わりに近づいたころ、気候は急速な温暖化へと転じ、海面も上昇を始めて日本列島と大陸の分断が進み、大型動物たちは環境変化や狩猟の影響で姿を消していきました。この結果、狩猟中心の生活は行きづまり、約1万6000年前ころに温暖な環境に適応した新しい生活様式、すなわち縄文文化が成立してきます。

縄文人は、狩猟の衰退を補うために、旧石器時代には好まれなかった新たな食料資源を積極的に利用し始めました。そのひとつが植物資源であり、もうひとつが魚貝類をはじめとする水産物です。以下では動物考古学から見た縄文文化の特色を、とくに水産資源利用に焦点を当てて見てみましょう。

◉日本列島における漁労《ぎょろう》の始まり――河川漁労

日本列島において水産物利用を示す証拠が現れるのは、縄文時代草創期(1万6000～1万2000年前)のことです。この時期の漁労(水産物をとること)の証拠はきわめて断片的ですが、関東地方では東京都前田耕地遺跡からサケの歯や骨が多数検出されています。

また、中部山岳地域の長野県湯倉洞穴《ゆくらどうけつ》などでもイシガイやサケ類などの淡水性の魚貝類が出土しています。このことから、この時期にはサケ類や淡水貝などを対象とした河川漁労が行われていたことがうかがわれます。

◉縄文早期——最古の海洋漁労民

縄文時代早期(約1万2000~7000年前)になると、海面の上昇と海域の拡大(縄文海進《かいしん》)がさらに進み、列島各地の沿岸に入り江(内湾《ないわん》)が拡大していきました。

日本において貝塚の形成が始まるのは、この時代の初めごろ(約1万1000年前)のことで、縄文海進が始まって間もない時期に、早くも海での本格的な漁を行う人びとが出現したことがわかります。この時期の貝塚はごく少なく、関東で数例が確認されているに過ぎませんが、その内容はかなり高度なものです。

三浦半島に位置する横須賀市夏島《なつしま》貝塚・平坂貝塚はこの時代の代表的な貝塚で、カキ殻などからなる分厚い貝層が検出されており、多量の貝が長期間にわたって食用とされたことを示しています(**図2**)。

また夏島貝塚からはクロダイやスズキなどの内湾の魚やカツオなどの外海《がいかい》の魚の骨、平坂貝塚ではイワシ類やサバなどの小魚の骨が多数検出され、精巧な釣針《つりばり》も両貝塚から出土しています。さらに、房総《ぼうそう》半島先端部の館山《たてやま》市沖ノ島《おきのしま》遺跡では多数のイルカの骨と石製の鏃《やじり》(矢

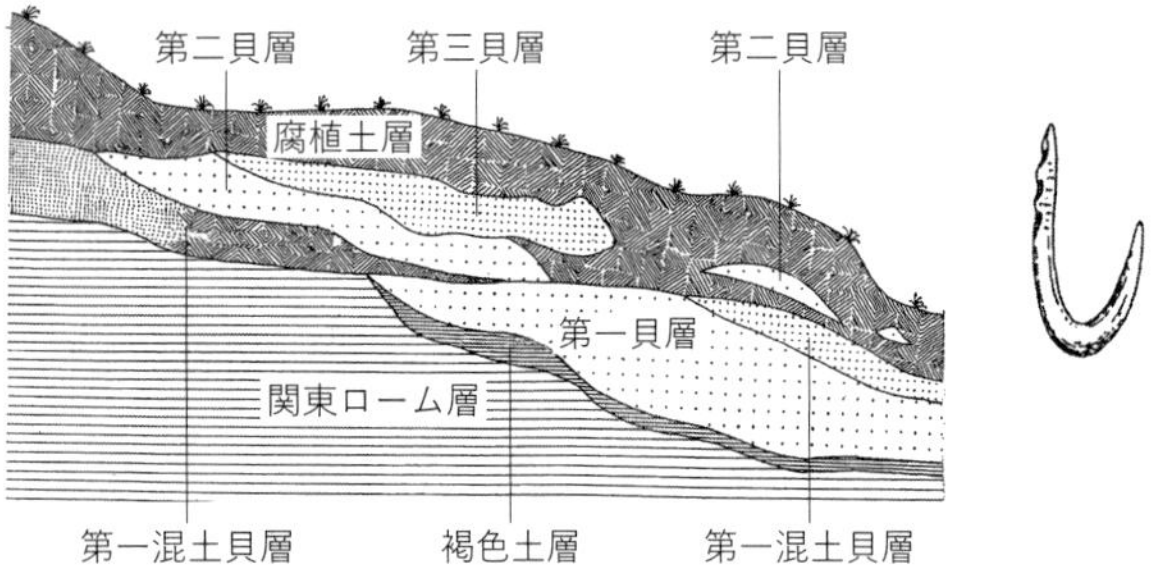

図2　夏島貝塚の地層断面(左)と出土した釣針(右)

の先端のとがった部分)や角製の銛《もり》(魚などを突いたり刺す道具)が出土しています。

これらの資料は、この時代の東京湾口部《わんこうぶ》において、クロダイやスズキなどを対象とした内湾での漁、カツオなどの外洋性回遊魚の漁(おそらく釣漁)、イワシ類やサバ類などの小魚の漁(おそらく網漁)、イルカ類の銛漁《もりりょう》(猟)など、多様な海洋漁労を行う集団が存在したことを示しています。

このことは、釣漁、網漁、刺突漁《さしつきりょう》(猟)という縄文漁業の基本的な技術要素がこの時代にすでに出そろっていたこと、また当時の人びとがこれらの高度な海洋適応の技術を駆使して、内湾から外洋にいたる広い海域で活発かつ多様な漁労活動を繰り広げていたことを物語っています。これは、同時期の漁労活動としては世界的にみても、きわめて高度かつ複雑多様な内容をもつものといえます。

また、近年発見された千葉県船橋《ふなばし》市取掛西《とりかけにし》貝塚（**図3**）では汽水域《きすいいき》（海水と淡水がまじりあう河口域のような場所）に生息するヤマトシジミが主体で、縄文海進初期の海水進入開始に伴う汽水域の形成とヤマトシジミの繁殖《はんしょく》に素早く反応して、これを食資源に取り入れようとする動きが読みとれます。

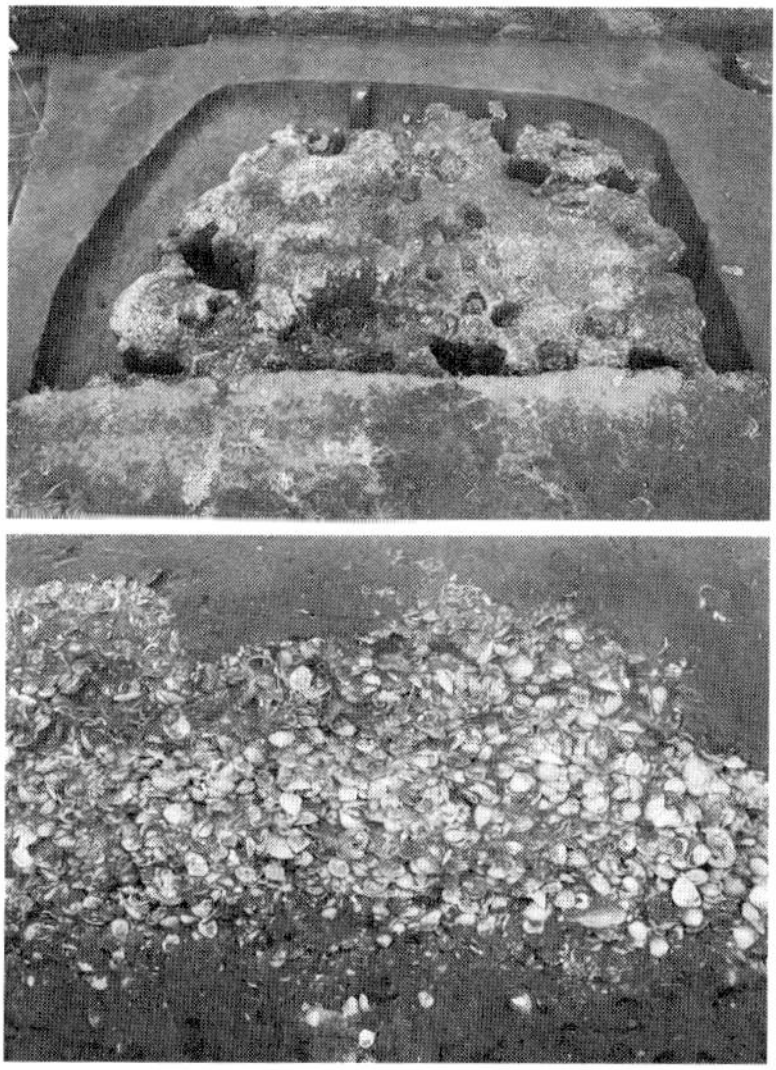

図3　取掛西貝塚と，その貝層（船橋市教育委員会）

魚類ではコイ科（コイおよびその他の種を含む）、ボラ科、ニシン科（イワシ類）、クロダイ属などが多く、出土した魚類の生息環境やサイズを考慮すると、淡水域から内湾沿岸域にわたる広い水域を漁場とし、大小のさまざまな魚類を捕獲する多様な漁獲技術がすでに存在していたことが示唆《しさ》されます。鳥獣骨はイノシシ、シカのほか、タヌキ、ノウサギなどの小型哺乳類やキジ類、カモ類などの鳥類が多い点が特徴です。

栃原岩陰《とちばらいわかげ》遺跡は長野県の山間部に位置する遺跡です（Ⅱ章1図3参照）。この遺跡では縄文早期前半の地層からシカ、イノシシ、ニホンザル、ノウサギ、ツキノワグマ、カモシカなどの哺乳類やキジ、ヤマドリなどの鳥類の骨が大量に出土しました。これに対して魚貝類は、魚類ではサケ類、貝類ではカワシンジュガイが主体でしたが、鳥獣骨に比べればごく少なく、魚貝類が食料に占める比率は低かったようです。

◉縄文前期――内湾《ないわん》生態系の発達と漁労の展開

海産物利用の証拠が列島各地で広く見られるようになるのは、縄文時代早期末から前期（約7000〜6000年前）のことです。この時期は気候が最温暖期に入り、それまで急上昇を続けてきた海面も現在より3〜4メートルほど高位に達してようやく安定に転じました。

海面上昇期に形成された列島各地の内湾は、海面の安定期を迎えると河川が吐き出す土砂などが海底に堆積してしだいに遠浅となり、沿岸には浅瀬や干潟が徐々に広がって、貝類をはじめとする多様な生物の繁殖《はんしょく》を促《うなが》しました。

こうした内湾生態系の発達に呼応《こおう》するように、この時期には日本列島各地の内湾沿岸で貝塚の形成が活発化していきます。関東地方でも、この時期には内湾沿岸域(東京湾や当時入り江となっていた霞ケ浦《かすみがうら》の周辺地域など)を中心に多数の貝塚が形成されるようになります。

この時期には、きわめて活発かつ多様な漁労の展開を示す遺跡もみられるようになります。例えば縄文時代屈指の大規模集落である青森市三内丸山《さんないまるやま》遺跡(**図4**)では、縄文前期の地層から50種以上を含む膨大《ほうだい》な量の魚骨や精巧な釣《つり》針《ばり》・銛先《もりさき》などが出土しており、多様な漁労活動が広範囲にわたって行われていたこと、また漁労が巨大集落を維持していくうえで不可欠の生業であったことが確認されています。

この調査では考古学・植物学などの研究者とともに学際的な研究体制を組み、遺跡をめぐる人と自然の関係性について立体的な復原を行うことができました。

図4　三内丸山遺跡．写真に示した泥炭層から多数の動物遺体が出土した

図5　加曽利貝塚の平面図(左)と加曽利北貝塚の貝層断面(右，写真提供：千葉市立加曽利貝塚博物館)

このように、縄文前期には高度かつ多様な漁労活動を活発に展開する集団が各地に存在したことが推定されます。

◉縄文中期〜後期――大規模貝塚の出現と内湾漁労の発展

縄文時代中期〜後期(約6000〜3000年前)になると、貝塚に大きな変化が現れます。すなわち、前期には見られなかった大規模貝塚の出現です。

例えば東京湾岸の千葉市加曽利《かそり》貝塚(**図5**)では分厚い貝層が集落を取り巻くように堆積しており、貝層の体積は数千立方メートルに達すると推定されます。こうした大型貝塚の出現は、貝類が生活に不可欠の食料源となり、長期間にわたって継続的な漁獲がなされるようになったことを示しています。

これらの大規模貝塚からは、貝類ではハマグリなど、魚類ではクロダイ、スズキ、イワシ、アジといった東京湾の代表的な魚貝類の遺骸《いがい》が多数出土します。また漁具ではヤスや漁網錘《ぎょもうすい》(網につけるおもり)が目立つことから、クロダイ、スズキなどの大型魚を対象としたヤス漁やイワシ・アジなど小魚の網漁の活発さが読みとれます。

こうした内湾漁労の発達は、内容に多少の違いはあるものの、伊勢湾・三河湾、瀬戸内海、有明海など、列島各地の内湾沿岸地域に広くみられるものです。

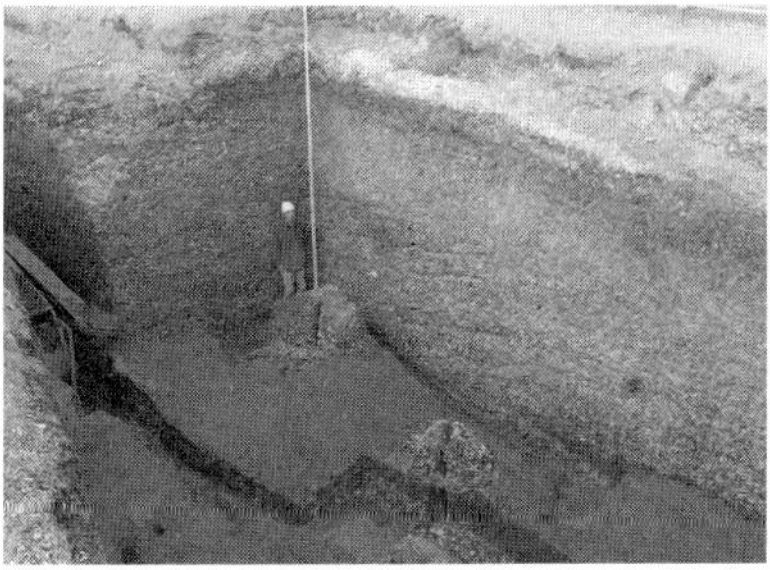

図6　中里貝塚の貝層断面(北区飛鳥山博物館)

いっぽう東京湾の西岸では、加曽利貝塚などと同じ時期に、まったく別のタイプの大規模貝塚が形成されます。東京都中里《なかざと》貝塚です。中里貝塚の貝層の厚さは最大で4メートル以上に達しますが(**図6**)、住居跡や日用品の遺物がほとんど出土せず、日常生活の痕跡《こんせき》が認められないという謎の貝塚でした。いっぽうで、貝殻の埋蔵量は膨大であり、単なる自家消費目的で採られたものとは考えにくいのです。

この謎を解くためにわたしたちが目を付けたのが、貝層内から出土する微小貝（大きさ数ミリ以下の小型の貝）です。微小貝は人間には利用価値がないため、遺跡内外に生息していた貝が貝塚の堆積物に混じりこんだものと考えられ、その生息環境を調べることで、貝塚がどのような環境に堆積したかを推定することができるのです。

そこで、貝類学者の黒住耐二《くろずみたいじ》さんと一緒に微小貝の分析に取り組みました。その結果、この貝塚が、当時の干潟を埋め尽くす形で形成された巨大な貝塚であることが判明したのです。これらの証拠から、中里貝塚は当時の浜辺に残された貝の加工処理専用の作業場跡であり、貝類はここで干し貝などに加工され、内陸集落との交易物資に用いられていたと推定されました。

類似したタイプの貝塚は、豊橋市大西貝塚など、三河湾奥部でも確認されており、自給自足的な縄文社会観に修正を迫るものとなっています。

◉縄文漁労の多様性

以上のように、縄文時代の漁労は内湾の生態系に適応する形で発達したものが多いのですが、それ以外にも、各地でそれぞれの海洋環境に適応した個性的な漁労の展開が見られます。

例えば東北地方の太平洋岸(とくに三陸沿岸)ではマグロなどの外洋性の大型魚を対象とした銛漁・釣漁が発達しました。九州北西部でも大型のサメ類などを対象とした外洋漁業の顕著な発達がみられます。

食用となる植物資源の乏《とぼ》しい北海道では海産物への依存度《いぞんど》がとくに高く、アシカ類などの銛猟やニシン、ホッケなど寒流系の回遊魚の漁を中心とする独特の漁業が発達しました。

内陸地域では貝塚が少なく、貝や骨、骨角製の漁具が残りにくい事情もあって、縄文時代の淡水漁労の実態は不明な点が多いのですが、琵琶湖《びわこ》周辺や福井県の三方五湖《みかたごこ》、岩手県の北上川流域などでは淡水産貝類による貝塚の形成がみられ、フナなどを対象とした漁業が盛んに行われていました。そのほかにも、漁網錘《ぎょもうすい》の出土状況からみると少なくとも縄文時代後半の東北〜近畿地方では淡水域で網漁が広く行われていたものと推定されます。

さらに岩手県萪内《しだない》遺跡では縄文後期末〜晩期初頭のエリ(魚をとるために川にかけられる罠《わな》の一種)、東京都下宅部《しもやけべ》遺跡などで縄文後期の筌《うけ》(同じく罠の一種)と思われる製品なども発見されています。こうした状況からみて淡水域での漁労も普遍的《ふへんてき》に行われていたと思われます。

2 植物の利用からわかってきたこと

佐々木由香

身のまわりを見渡すと、日々の食材だけでなく、かごや木のうつわなどの道具、家具や建築材など、わたしたちの生活には植物がたくさん利用されています。現代ではほとんどがステンレス製となったザルも、かつては植物素材で作られていました。

植物はどのような種類でもよいわけではなく、用途に合わせて選択されています。現在のわたしたちに利用されている植物は、弥生《やよい》時代以降に日本列島に渡来《とらい》した植物を除いて、ほとんどが縄文《じょうもん》時代から利用されています。縄文時代の植物は食物にされたほかに、薬やお酒にされたり、紐《ひも》や縄《なわ》、編みかごの材料にされたり、容器や柄《え》、弓などの木製品にされたり、竪穴《たてあな》住居などの土木用材にされたりと、生活のありとあらゆる場面で使用されました。

特に縄文人が利用した有用な植物は、意識的に選択され、またその資源を維持管理していたことが見えてきています。

◉遺跡《いせき》で残る植物遺体とは？

遺跡から出土《しゅつど》する植物は、「植物遺体《しょくぶついたい》」と呼ばれています。遺跡ではおもに土器《どき》や石器《せっき》が出土し、貝塚《かいづか》では貝殻《かいがら》や骨が出土しているイメージがありますが、植物遺体も出土します。ただし、台地上の遺跡では、縄文時代の生《なま》の植物遺体はバクテリアなどの微生物に分解されてしまうので残りません。

生の植物遺体が残っている遺跡は、「低湿地《ていしっち》遺跡」と呼ばれる、地下水位が高く、植物が酸素に触れない特殊な環境の遺跡です。低湿地遺跡は文字通り川縁《かわべり》などの低い場所に立地していて、これまであまり発掘調査の対象となってきませんでした。

低湿地遺跡には人間が利用した植物遺体だけでなく、過去の森林や草原などから自然にもたらされた植物も良好に残存しています。川の跡を発掘すると、生の葉がきれいな緑色のまま、あるいは紅葉してあざやかに出土することがあります。また縄文時代の漆器《しっき》はあざやかな赤漆《あかうるし》で塗られていて、黒い堆積物《たいせきぶつ》のなかですぐ目につきます。空気に触れるとたちまち酸化して色がくすんでしまい、出土した瞬間の色は掘り出した人しか見ることができません。
自然に埋まった植物遺体を調べれば、過去の植生《しょくせい》や気候も解明することができます。しかし植物はそのままの形で埋まっているのではなく、埋没《まいぼつ》する過程でバラバラになっています。すなわち、葉や、枝や幹、果実や種子（種実《しゅじつ》）、球根、芽、花粉といったように、大きな器官から目に見えない小さな器官にまで分かれています。それらが何であるかを特定するには、異なる分析手法が使われます（**図1**）。

目に見える葉や果実、種子、球根、芽などは、大型植物遺体と呼ばれ、種類ごとに形に特徴があるため、形態をもとに分類します（**図2**）。木材や編みかごなども目に見えますが、これらは木材や草などの組織を細胞レベルで観察して区別します。

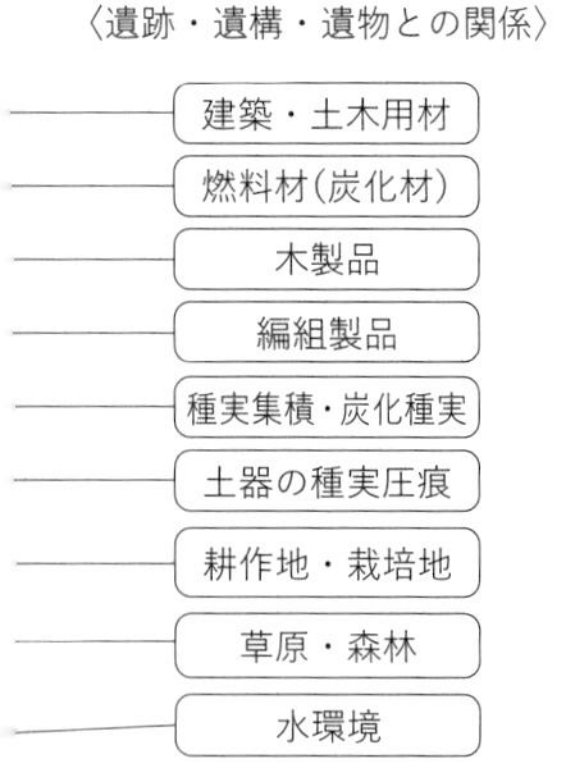

そのため、木材や草の茎《くき》を三次元で観察する必要があり、輪切りにした際にできる横断面や、樹皮や表皮にそった板目《いため》面《めん》（接線断面）、芯《しん》から放射方向に伸びる柾目《まさめ》面《めん》（放射断面）を光学顕微鏡や電子顕微鏡で観

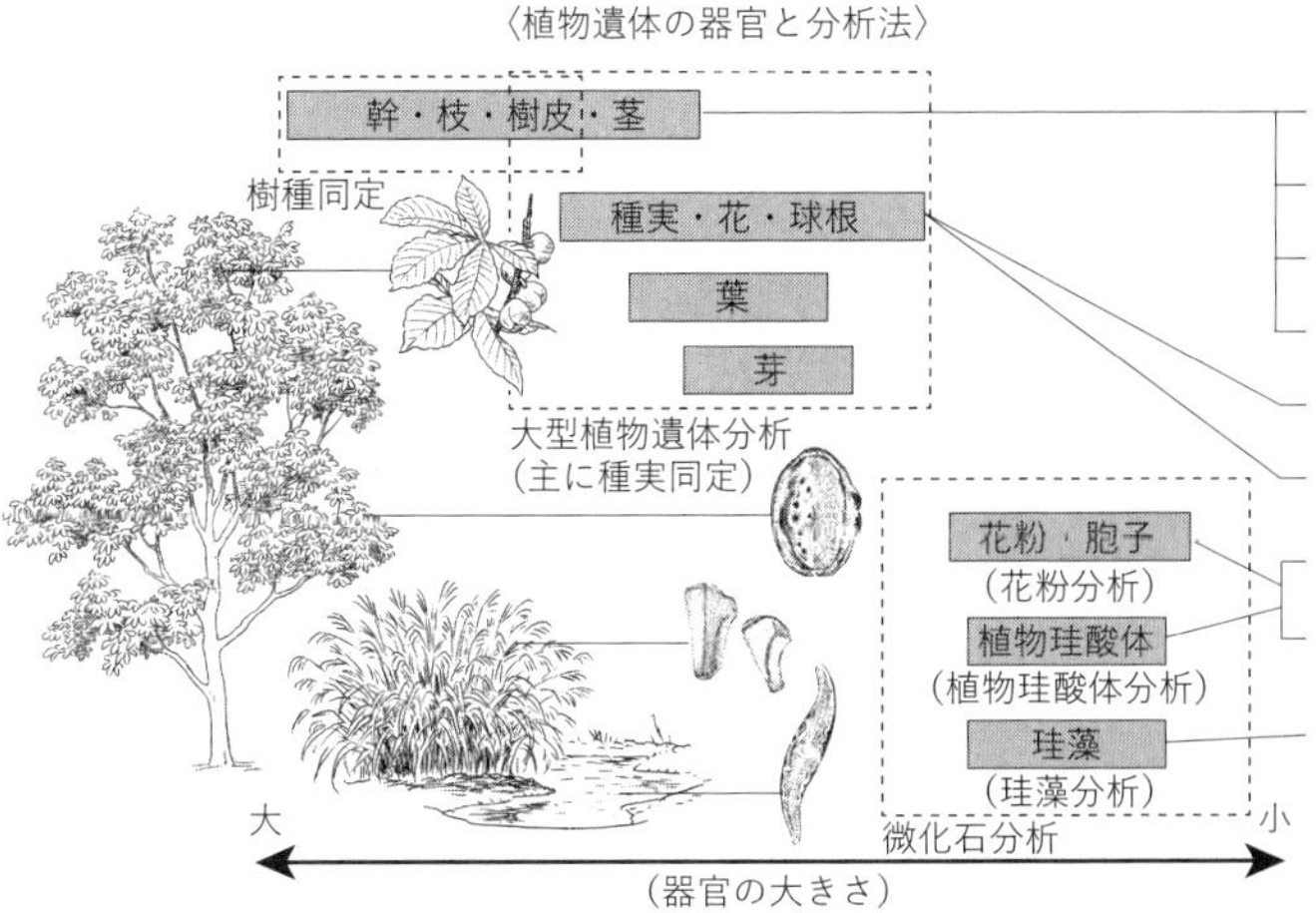

図 1　植物遺体の各器官と分析法および考古学との関係（工藤 2018 を元に改変）

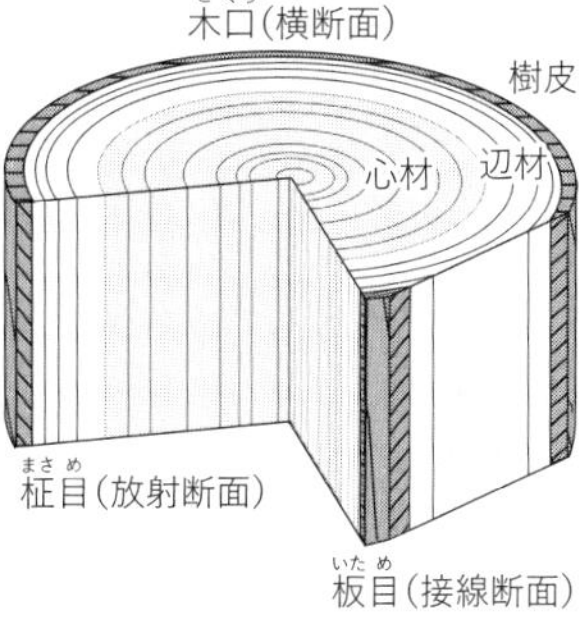

図 3　木材の三段面

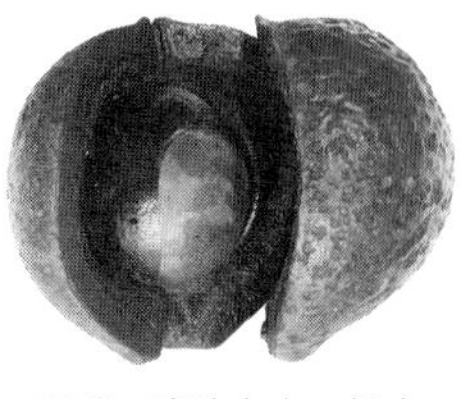

図 2　遺跡出土の縄文時代のトチノキの果実と種子（下宅部遺跡調査団 2006 より）

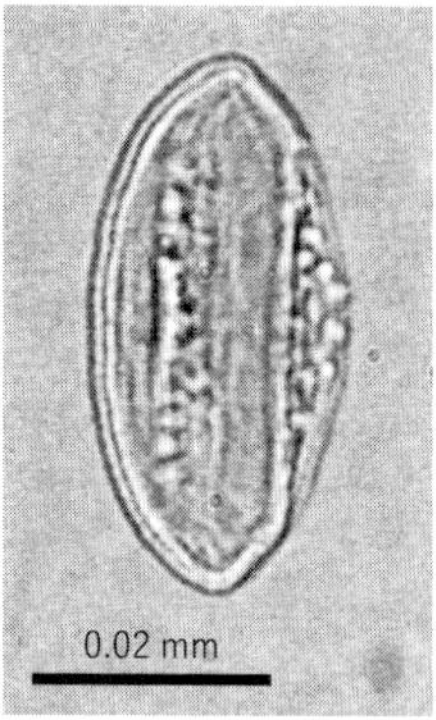

図4　現生のトチノキの花粉(森将志氏提供)

察します(**図3**)。

これらに対して、その存在が目に見えない植物遺体もあります。花粉やプラント・オパールといわれる植物珪酸体《けいさんたい》、珪藻《けいそう》で、大型植物遺体に対して微化石と呼ばれます。

例えば、花粉はスポロポレニンという有機物でできたひじょうに丈夫な壁を持ち、さらにその壁には植物の種類による特徴が明瞭《めいりょう》なため、種類を区別することができます(**図4**)。

プラント・オパールは、イネ科植物などの特定の植物が土壌《どじょう》中の珪酸を根から吸い上げて、葉や茎などの細胞に蓄積した、ガラス質細胞(植物珪酸体)です。プラント・オパールを含む植物が枯れると、植物自体は分解されますが、ガラス質であるプラント・オパールは長期間保存されます。微化石は、薬品で土壌から抽出してプレパラート化し、光学顕微鏡で観察します。微化石の分析により、過去にどのような森林や草原といった植生や耕作地、もしくは栽培地が遺跡の周辺にあったのかを推定します。

以上のように、低湿地遺跡から出土する植物遺体にはさまざまな種類があります。一方、生の植物遺体が分解されてしまう台地上の遺跡でも、炭化《たんか》して無機物になると植物が残存します。火事にあった住居で建築材が炭化して残っていれば、建築材の樹種《じゅしゅ》を明らかにできます。調理の場である炉《ろ》の周りの土をフルイにかければ、燃料の薪《たきぎ》に使われた木材の樹種や偶然炭化した食物の種類がわかります。

このように台地上の遺跡では、火事や加工・調理時の燃えかすなど、偶然残った植物遺体を研究対象とします。また、ガラス質のプラント・オパールは台地上の遺跡でも残存しますが、花粉や珪藻は分解されてしまい、ほとんど残りません。

植物遺体の残り方を考えると、火山灰の影響で酸性の土壌が多く、生の植物遺体が残りにくい日本列島では、植物遺体が遺跡から出土するイメージがわかないのも合点《がてん》がいきます。遺跡に残されたわずかな手がかりから、衣食住のあらゆる場面で使用されていた植物と人類の相互関係を解明する学問領域が、植物考古学です。

縄文時代の植物考古学における研究の対象は、低湿地遺跡で検出される堆積物や、植物で作られた遺構や遺物、台地上の遺跡で残った炭化材や炭化種実、そして土器の製作時に入っ

図5　土器圧痕と圧痕のレプリカ

た種実や昆虫《こんちゅう》といった有機物がくぼみとして残る土器圧痕《あっこん》、土器の使用時に内面に付着する植物遺体のオコゲなどです（**図5**）。では、植物考古学ではどのような研究がなされてきたのでしょうか？

◉縄文人が好きなドングリ類の地域性・時期差

縄文時代の植物食として思い浮かぶのは、ドングリではないでしょうか。縄文人の主要な植物食としてドングリ類とクリ、クルミ、トチノキがあげられます。しかし、縄文人に好まれたドングリの種類や、出土する地域と時期は限定されることがわかってきました。

およそ1万年前に起こった地球規模の温暖化という気候変動に伴い、東日本では植生が縄文時代より前の旧石器時代に広がっていた亜寒帯の針葉樹林から、ブナやナラなどの落葉広葉樹林に変わりました。西日本でも、縄文時代が始まる時期には落葉広葉樹林が広がります。

縄文時代前期の初めごろになると、カシ類やシイなどが主体となる照葉樹林《しょうようじゅりん》（以下、常緑広葉樹林）が九州地方から列島内に拡大しました。

植生の変化は、人間が利用したドングリ類にも大きく影響します。縄文時代の九州地方の木の実利用を調べた小畑弘己《おばたひろき》さんの2011年の論文によると、利用された木の実の主体はドングリ類ですが、早期以前は落葉性のクヌギを中心とするナラ類が70パーセント以上を占《し》めていたのに対し、前期以降では常緑性のイチイガシが貯蔵穴《ちょぞうけつ》（食料などを保存した穴）から出土する果実の9割を占めるようになります。

変化期の様相は、約8000年前の縄文時代早期の終わりごろの佐賀県東名《ひがしみょう》遺跡で詳細にとらえられました。貯蔵穴から出土した多数のドングリ類の種類を見ると、8000年前から7000年前ごろにかけて、落葉性のクヌギやナラガシワと常緑性のイチイガシの双方が利用されていました（**図6**）。これは東名遺跡が営まれた1000年間は、落葉広葉樹林から常緑広葉樹林へ植生が置き換わる過渡期《かとき》を反映していると思われます。

イチイガシのドングリの利用は、常緑広葉樹林が拡大した縄文時代前期以降に近畿地方から東海地方でも確認できますが、それより東の地域では見つかっていません。

図 6　佐賀県東名遺跡出土のドングリ類（佐賀市提供）

わたしはイチイガシのドングリが分布する地域では、まずイチイガシの果実が選択的に利用されていたと推定しました。理由は、イチイガシのドングリはアクが少なく、生食《なましょく》も可能で、粒も比較的大型です。この利用しやすさは、縄文人がイチイガシを選択的に利用した大きな理由であったと考えています。

イチイガシに次いで縄文人に利用されたドングリ類は、比較的大型の落葉性のクヌギとナラガシワですが、これらを食用にするにはアク抜きが必要です。ナラガシワは、ドングリの利用が少ない東日本各地の縄文時代の低湿地遺跡から出土する、低地周辺での生育と利用が推定されるドングリですが、現在の東日本にはほとんど生育していません。ナラガシワはナラ類（コナラ属《ぞく》コナラ節《せつ》）に属するドングリで、その木材は重くて硬く、割《わ》り裂《さ》きしやすい材質を持ちます。

ひとつの仮説ですが、ナラガシワは他のナラ類よりも標高が低い地域に分布するため、弥生時代以降の低地部での土地開発や木材利用の影響を受けた結果、東日本で生育域が減少した可能性があります。ナラガシワはナラ類ではコナラより大きいドングリをつけますが、アクの成分などは不明で、なぜナラガシワが縄文人に好まれて多用されたのかは未解明です。

◉クリと縄文人

では、イチイガシが分布しない東日本の落葉広葉樹林の地域で、利用が顕著《けんちょ》な木の実は何だったのでしょう？　それはクリです。

約1万年前の縄文時代早期初めの滋賀県粟津湖底《あわづこてい》遺跡や約6500年前の前期中ごろの青森県岩渡小谷《いわたりこたに》(4)遺跡では、まるで貝塚のように、剥《む》いたクリの果皮《かひ》がクリ塚となっていました。2021年に発表された能城修一《のしろしゅういち》さんらの集成による、縄文時代の遺跡からクリの木材が多く出土する地域と現在の植生分布図を重ねると、縄文時代の方が現在よりやや落葉広葉樹林の範囲が広いため、縄文時代を通じて落葉広葉樹林の分布域とほぼ重なります（**図7**）。

クリは食料資源としてだけでなく、木材資源としても選択的に利用されました。その理由として、クリの木材は耐朽性《たいきゅうせい》が高く、水湿に強いことがあげられます。さらに当時の伐採道《ばっさい》具である石斧《せきふ》で木を伐採した実験から、クリは他の樹種よりも伐《き》りやすく、石斧の損傷も少

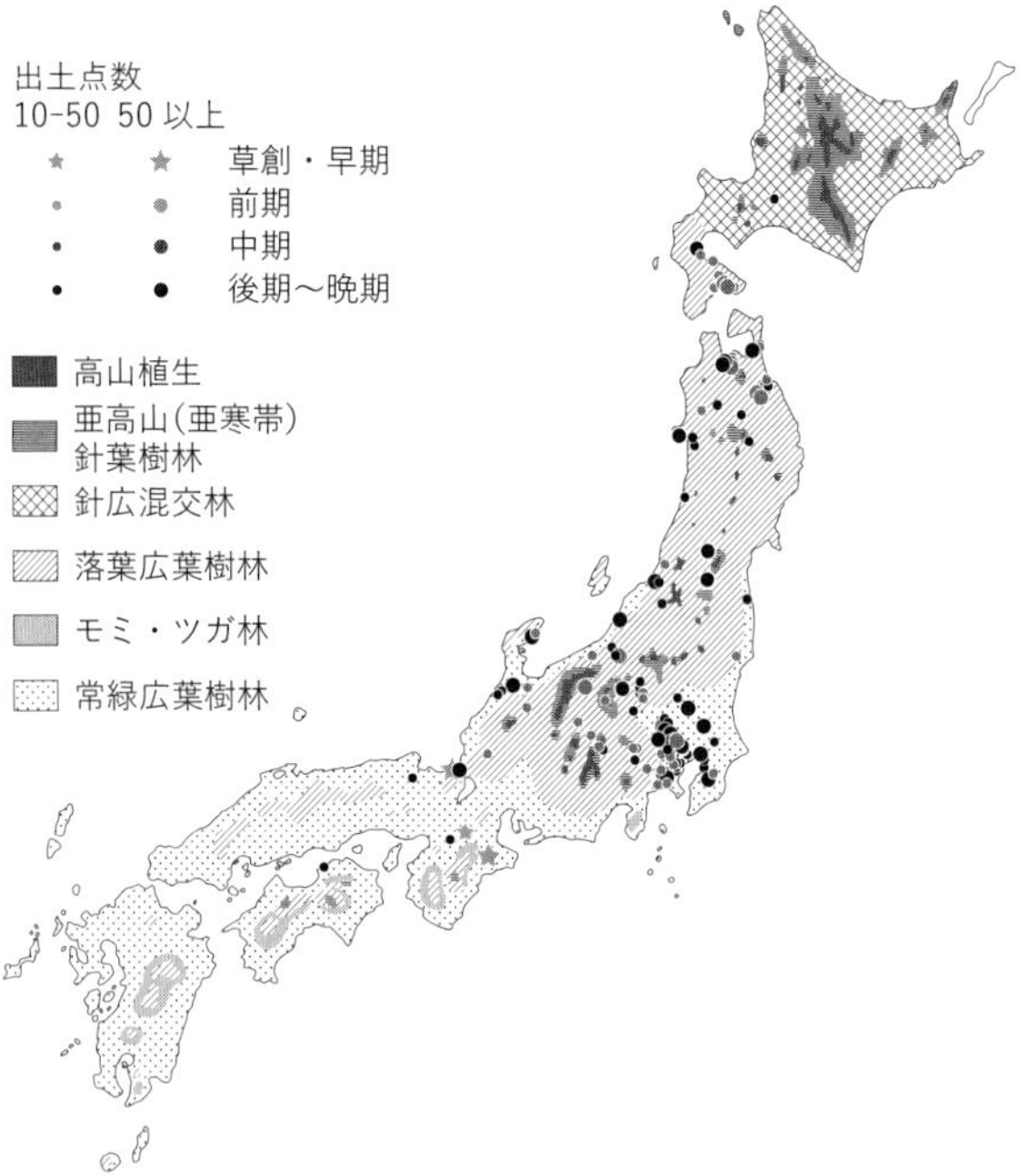

図7　縄文時代のクリ材の出土分布と現生植生
(能城ほか 2021 と吉岡 1973 を改変)

なく、材を割りやすい、縄文時代の石製の道具に適した木材でした。縄文時代の建築材や水辺の構築物、杭《くい》の樹種を調べるとクリが最も多く、特に建築材や土木用材として多用されました(**図8**)。

　このように資源として有用なクリは、自然界に生育している木だけでは十分な量が確保できず、人間がムラの周辺に増やしていたと推定されています。例えば青森県三内丸山《さんないまるやま》遺跡で花粉分析をおこなった吉川昌伸《よしかわまさのぶ》さんによると、ムラの存続期間に合わせたようにクリの花粉量が極端に増加して、ムラの消滅とともに減少したことがわかっています（**図9**）。同時期の、同じく青森の田代平《たしろたい》というムラのなかった地域はブナとナラが主体

図8　長野県川原田遺跡のクリ林とクリ利用の復元画（画：早川和子，浅間縄文ミュージアム提供）

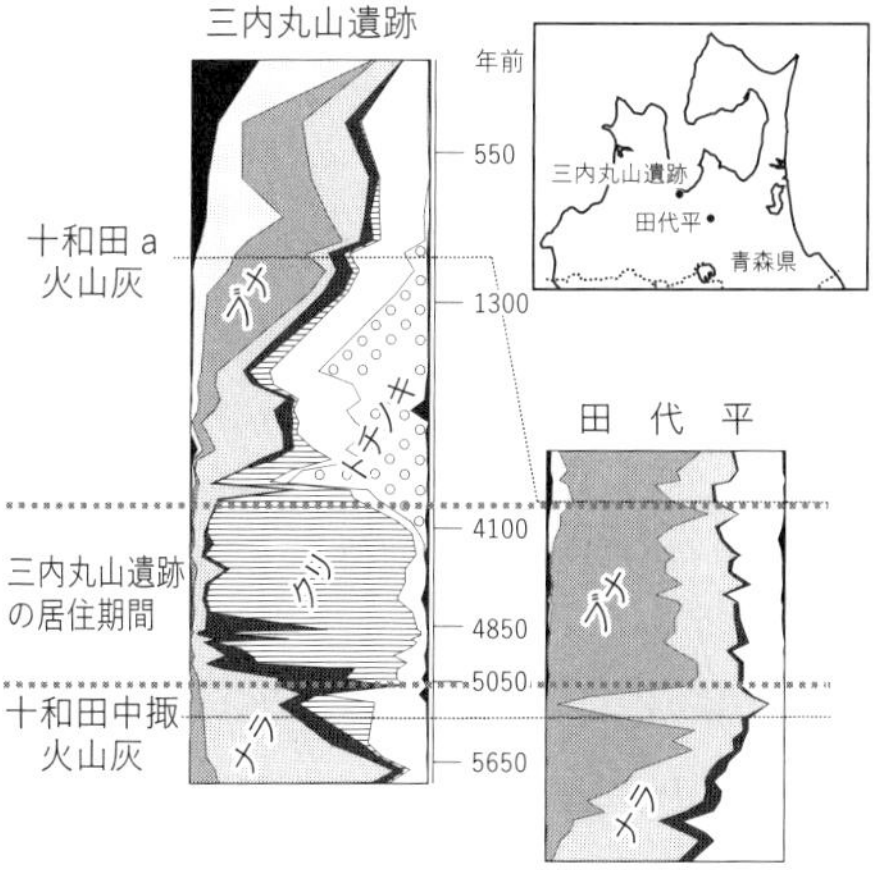

図9　青森県三内丸山遺跡のクリとムラの関係．田代平は自然植生との比較のために掲載．火山灰の降下年代が明らかになっているので，三内丸山遺跡と田代平の年代を比較することができる（工藤雄一郎・国立歴史民俗博物館編 2014 を改変）

となる植生でしたので、このクリの増加に縄文人が関与していると考えられています。

吉川さんが発表した2011年の論文では、クリの花粉は、スギなどの風で運ばれる花粉(風媒《ふうばい》)とは異なり、虫が散布する(虫媒《ちゅうばい》)のため遠くに飛ばない性質を持ち、自然の林内では5パーセント前後しか検出されません。しかし、三内丸山遺跡のムラがあったころの花粉分析では、クリの花粉が70〜80パーセントを占め、周辺にクリが圧倒的に多い林が存在したと推定されています。このようにムラの周辺にクリの花粉が多く確認された例は、北海道南部から本州中部まで多数あります。

クリとともに縄文時代に出現する重要な植物は、ウルシです。縄文時代の人々は、ウルシの樹液と顔料《がんりょう》(鉱物などから作られた赤や黒の粉末)を混ぜて塗料にしたり、土器が壊れた時の接着剤にしたりして使っていました。樹液としての漆《うるし》の利用は土器や木器に塗られた漆器《しっき》として戦前から知られていましたが、ウルシの木の存在が植物学的に明らかになったのは、2004年以降です。それまでは同じウルシ属に含まれる野生種のヤマウルシなどとの区別ができませんでしたが、そのころ木材と花粉による識別が可能になりました。

植物学ではウルシは中国原産の渡来植物とされ、日本列島の気候では、人間が栽培しないと林の維持が難しい栽培植物です。つまり、縄文時代の人々は中国大陸から渡ってきたウルシを栽培して、その樹液を利用していたということになります。しかし、縄文時代で漆器の出土する時期は中国大陸よりも古いのです。このため、ウルシの木は日本列島に自生していたと考える研究者もいて、ウルシの起源地問題は解決していません。

　最古の漆利用は、約9000年前の縄文時代早期の北海道垣ノ《かきの》島《しま》B遺跡の繊維製品ですが、工藤雄一郎《くどうゆういちろう》さんが2022年に実施した年代測定によると、年代が確実な最も古い漆製品は早期の終わりごろ(約7500年前)の富山県上《かみ》久津呂中屋《くつろなかや》遺跡の漆塗《うるしぬり》の櫛《くし》です(**図10**)。

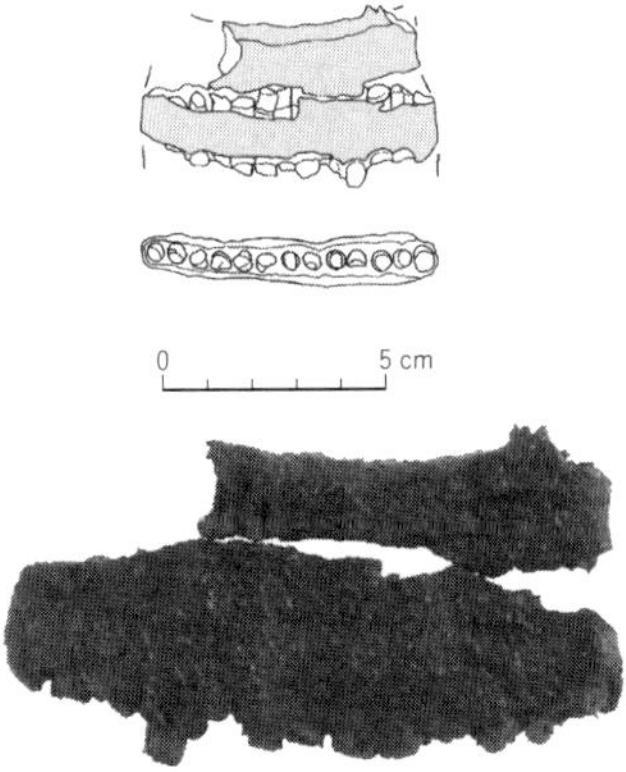

図10　富山県上久津呂中屋遺跡，縄文時代早期の漆塗櫛(富山県埋蔵文化財センター提供)

　その後、縄文時代早期の終わりごろから前期になると、福井県鳥浜《とりはま》貝塚から出土した一木《いちぼく》造り(1つの材から削り出す製法)の漆塗の櫛のように漆製品が東日本を中心に出土します(**カバー袖図2**)。ウルシの花粉も早期から確認され、クリが利用された地域と重なります。

意外だったのは、クリに次いでウルシの木材も水辺の杭《くい》などに用いられていたことです。ウルシの木材は、クリと同様に水湿に強く、耐朽性が高いため、良い材質が選択された結果と考えられます。東京都下宅部《しもやけべ》遺跡では、縄文時代後期の細い木材を一周する傷跡があるウルシの杭がたくさん出土しています。木材としても有用なウルシは、縄文時代では樹液を採取した後、木を伐り倒し、杭として意図的に利用したと考えられます。

福井県鳥浜貝塚では、縄文時代前期の多様な漆器が出土しましたが、能城修一さんの樹種分析により約1万2500年前の縄文時代草創期から加工のないウルシの自然木《しぜんぼく》が確認され、吉川昌伸さんの花粉分析により、それ以降断続的にウルシの存在が確認されました。鳥浜貝塚では中央アジア原産のアサの花粉やアフリカ原産のヒョウタンの果実なども縄文時代早期から確認され、多種類の有用な植物が遺跡の周辺に生育していたと推定されています。

わたしは植物資源の利用の地域性を考慮し、クリ林やウルシ林を主体に森林資源を管理している東日本を中心とする地域をクリ―ウルシ利用文化圏、イチイガシの果実利用に特化している九州地方や西日本を中心とする地域をイチイガシ利用文化圏と呼びました（**図11**）。

クリ林やウルシ林を持続させるには、一定の期間、その周辺に住んで林の維持管理をする

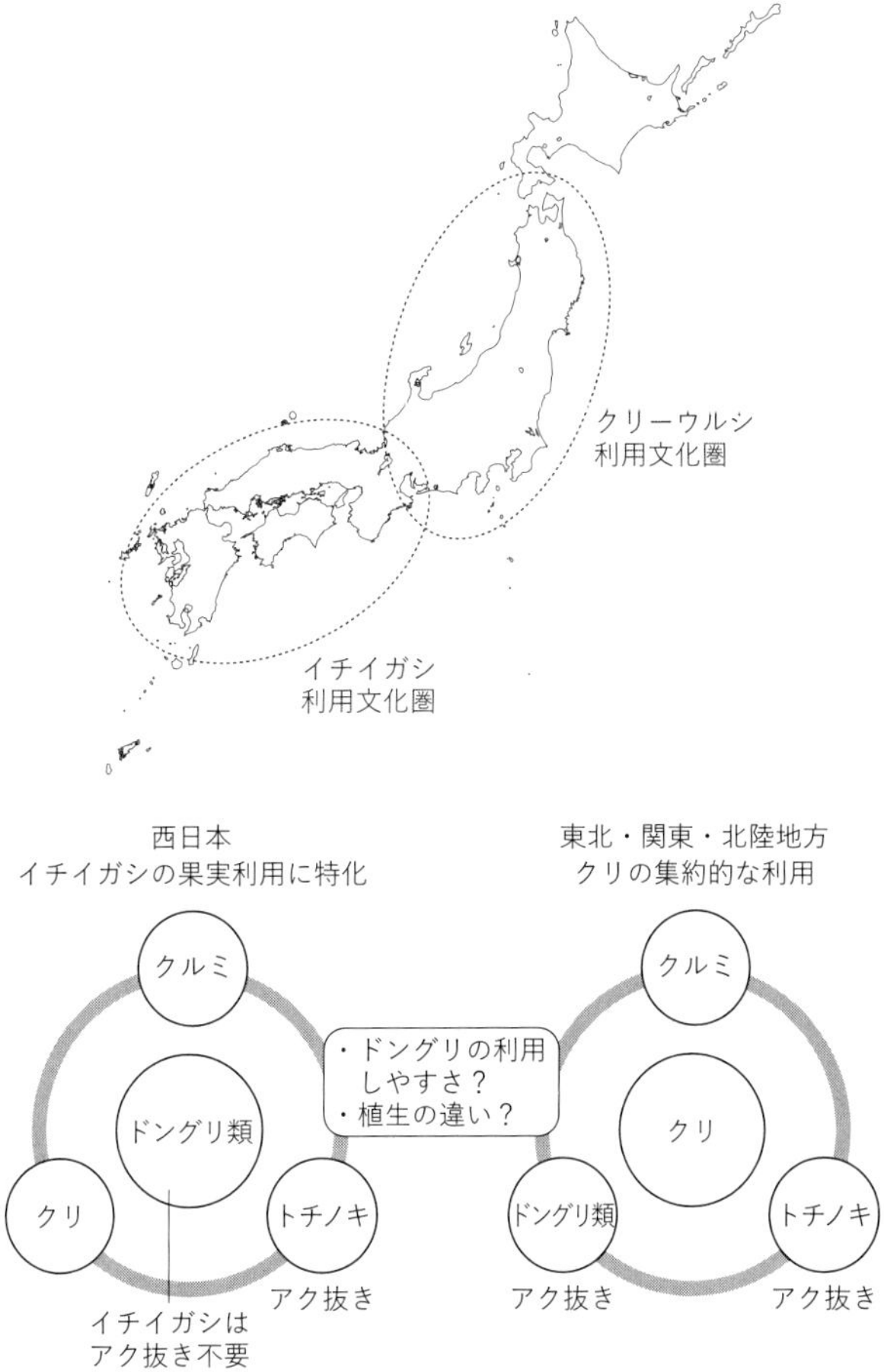

図 11　縄文時代前期以降の植物利用の文化圏
（佐々木 2020 を一部改変）

必要があります。クリ林とウルシ林の存在は縄文時代前期以降には確認されていますが、早期以前では断片的な証拠しかありません。縄文時代早期ごろは現在よりも海面が数メートルから数十メートルほど低かったため、水辺にあった低湿地遺跡は現在の海や湖のなかで簡単に発掘できないことも証拠が少ない原因のひとつと考えられます。

◉縄文時代に栽培植物はあった?

では次に、縄文時代に食料として栽培された植物はあったのでしょうか? かつて、縄文時代にはコメやムギ、アワなどの大陸から渡来したイネ科穀物の栽培が始まっていた可能性が指摘されていました。しかし、コメやアワ・キビといった穀類は、縄文時代から弥生時代の移行期に日本列島に導入されたことがわかってきました。一方、ダイズやアズキなどのマメ類やエゴマなどのシソ属、ヒエ属は縄文時代に栽培されていた可能性が高くなりました。

考え方が変更された背景には、微小な種子そのものの年代の測定が可能になった技術的な進歩や、2000年以降に進展したレプリカ法による土器種実圧痕《あっこん》の研究があります。それらの研究成果によって、栽培植物が出現する時期が高い精度でとらえられるようになりまし

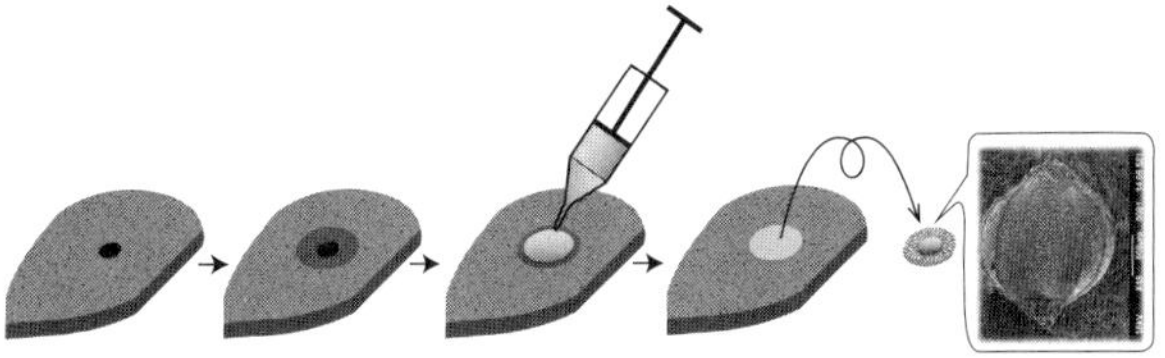
圧痕内を洗浄する
圧痕内および周囲をコーティングする
圧痕内および周囲にシリコンを注入する
シリコンの上面を平坦にする
実体顕微鏡や走査電子顕微鏡で観察する

図12　レプリカ法による土器圧痕の採取方法
(佐々木2019を一部改変)

た。土器圧痕とは、土器を作る際に粘土に混ざった植物の種実などの有機物が、土器を焼く際に消失してくぼみとなって残る痕跡《こんせき》です。レプリカ法は、そのくぼみにシリコンを注入して型どりし、それを電子顕微鏡で観察して、種を同定《どうてい》(何の植物か現在の植物と比較してつきとめること)する分析方法です(**図12**)。このレプリカ法により、縄文時代から栽培された可能性のある、さまざまな種実の痕跡が見つかっています。

　土器圧痕の調査により、植物遺体としてあまり見つかっていなかったダイズやアズキなどのマメ類やエゴマなどのシソ属の種実がたくさん発見されるようになりました。これらは硬い殻《から》を持つ木の実とは異なり、皮が薄くて食べられてしまうため、炭化物としても残りにくかったのです。

　特に2007年に小畑弘己さんらの研究によって、これ

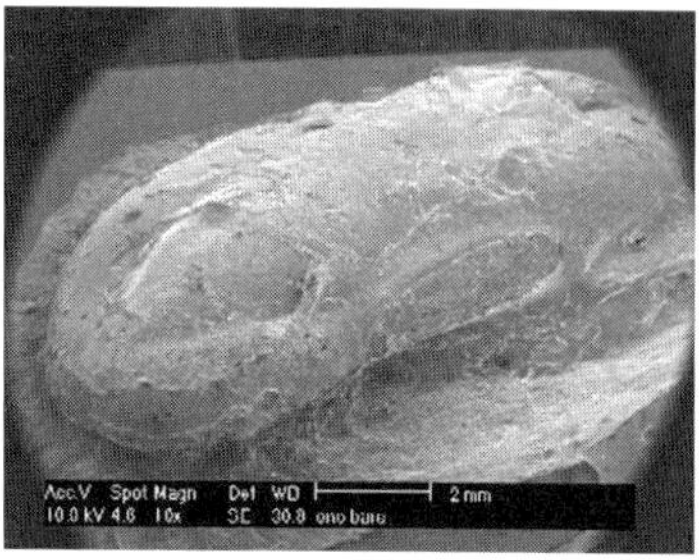

図13　ダイズ属種子圧痕のレプリカ（小畑弘己撮影）

まで不明の種子と考えられてきた圧痕種子が、じつはダイズの種子のへそであったことが判明しました。しかもこのへそを持つダイズの種子は、現在の栽培されているダイズぐらいの大きさだったのです（**図13**）。これまでダイズは弥生時代に大陸から日本列島にもたらされた栽培植物と考えられていたので、大きな発見でした。

　小畑弘己さんや中山《なかやま》誠二《せいじ》さんらによる土器圧痕のダイズ属種子のサイズ検討の結果、縄文時代草創期から前期の段階では、ダイズの祖先野生種であるツルマメと同じ大きさの種子が、約5000年前の縄文時代中期ごろには大型化して長さ10ミリを超え、現在の栽培種のダイズとほぼ同じ大きさになっていました。小畑さんや中山さんらは、縄文人の栽培によって大型化したと推定しています。これに対して那須《なす》浩郎《ひろお》さんらは、縄文時代の居住域は日当たりや栄養の面でマメの生育に条件が良く、環境の影響を受けて大型化が起こった可能性を指摘していて、大型化の原因については研究者によって意見が分かれています。

土器の表面や断面のくぼみはレプリカ法で採取できますが、粘土の内部のくぼみは見えないので、小畑弘己さんは土器の内部をソフトX線やX線CTを使って探索《たんさく》する方法を開発しました。すると、1個の土器に何百個のダイズやアズキ、シソ属などの有用な種子が入った例が次々と発見されたのです。原因は不明ですが、縄文人が食べ物の豊穣《ほうじょう》を願って意図的に入れたという考えと、土器づくりの場に種子があって偶然入ったという考えがあります。

ヒエ属は土器圧痕や炭化種実で縄文時代早期から見つかるようになりました。ただし、縄文時代のヒエ属は現在の栽培のヒエよりやや小さく、野生のイヌビエより丸いため、吉崎昌《よしざきしょう》一《いち》さんは「縄文ヒエ」と名づけました。縄文時代早期から前期にかけて、北海道南部と東北地方北部では炭化した縄文ヒエがしばしば多量に出土し、大型化していた可能性があります。この時期、三内丸山遺跡のような大型のムラが増え人口が増加したため、那須浩郎さんは人口増加に伴い野生のイヌビエの利用を強化した可能性を考えています。しかし、その後は大型のヒエは認められず、出土例も減少するため、大型化は維持されなかったようです。

◉縄文時代の植物利用はいつから？

このような植物考古学の研究成果を踏まえると、植物性食料に依存《いぞん》する生活は、すでに約1万年前の縄文時代早期初めごろにさかのぼる証拠が見え始めています。

例えば東京湾沿岸部の千葉県取掛西《とりかけにし》貝塚では、縄文時代早期前半のムラが台地上にあり、竪穴《たてあな》住居跡の土からは、予想に反して炭化した種実が大量に得られました。縄文時代前期以降にさかんに利用されたクルミ類などの木の実とともに、ダイズやアズキなどの祖先野生種に対応するサイズのマメ類と、ミズキやキハダなどのベリー（液果《えきか》）類が出土しました。

取掛西遺跡で実施した土器の圧痕調査では、マメ類やベリー類の種実圧痕に加えて、貯穀《ちょこく》害虫であるコクゾウムシの圧痕も確認されました。コクゾウムシは、乾燥《かんそう》した食物を食べて産卵する昆虫で、木の実などが貯蔵されていた可能性を示しています。また、家屋にすむ害虫のため、ムラの広場などではなく、土器づくりが建物内で行われたことを示唆《しさ》します。

標高約1000メートルの山間部にある長野県栃原岩陰《とちばらいわかげ》遺跡や群馬県居家以《いやい》岩陰遺跡でも、縄文時代早期前半のクルミ類やドングリ類に加えて、マメ類やベリー類の炭化種実や種実圧痕が見つかっています。

これまで考古学では、植物性食料に依存する生活は、約6000年前の縄文時代前期以降に高まったと記述されてきました。それは、縄文時代早期から前期における気候の温暖化によって食料資源が多様化し、その獲得方法や加工技術が進展することにより、人々の生活は安定して定住的な生活が始まったという考えにもとづいています。

しかし、植物利用の痕跡を丹念に調べると、さらに古い縄文時代早期の1万年前ごろには有用な植物の食利用や木材の利用はすでに始まっていて、有用植物の利用体系が整っていた可能性があります。継続的に十分な量を確保できる資源の管理システムが確立するのは、一定の期間営む集落が増加する前期ととらえられそうです。

◉水場での植物利用

前述したように、木の実のうち、アクの強いトチノキやドングリ類の実は、食用とする前に、水にさらしたり、土器に入れて煮たりして、アク抜きをする必要があります。さまざまな水利用に使われる遺構は「水場《みずば》遺構《いこう》」と呼ばれています。しかし縄文時代草創期から早期にかけては、明確に木の実を加工した水場遺構は見つかっていません。

アク抜きが推定できる水場遺構の初源は、約6500年前の縄文時代前期の半ばごろです。岩渡小谷《いわたりこたに》⑷遺跡では、ムラの中央の谷に木材を組み合わせた木組遺構が作られ、木の実の貯蔵と加工をはじめとする多様な水利用が推定されました。

人類学者の西田正規《にしだまさき》さんが1985年に発表した論文では、定住化の重要な技術的要素として、デンプン質の種子の利用と、魚類資源の利用、木材加工、植物繊維の利用をあげました。特にアク抜きが必要なデンプン質の木の実の出土は、アク抜きによって利用されたことを暗示していると指摘し、木の実にかかわらず、野菜や根茎類《こんけいるい》、繊維といった植物利用のさまざまな場面で用いられるアク抜きや水さらしの技術は、温帯林が拡大し、そこに人々が適応し始めたころには、すでに一般的な技術であったとしています。

そうした植物利用の想定は、2000年代に入って植物遺体により実証されてきました。早期の東名《ひがしみょう》遺跡のように、縄文時代草創期や早期にもアク抜きが必要なクヌギやナラガシワが貯蔵穴などのなかにまとまって出土したり、繊維製品が出土したりするので、ドングリ類のアク抜きや繊維類の水さらしといった技術は前期以前からあったと推定されます。そして、前期以降にムラの周辺に作られた水場遺構は、アク抜きだけでなく、定住生活に必要なさまざまな水利用が推定できる施設に位置づけられます。

考古学では、木の実のアク抜きのための水さらしの場として水場遺構が注目されてきました。その代表的な例が、縄文時代後期から晩期に作られた、トチノキの種皮が集積したトチ塚を伴う埼玉県赤山陣屋跡《あかやまじんやあと》遺跡のトチの実加工場跡の木組遺構です（**図14**、**I章図2**参照）。

トチノキの実は食用にあたり、水にさらして、さらに灰を入れて煮沸《しゃふつ》するアク抜きが必要とされています。トチノキの利用自体は縄文時代草創期に始まるとの考えもありますが、種皮がまとまって捨てられたトチ塚は、青森県山田(4)遺跡のように中期前半以降に確認されているので、多量に加工されるようになるのが中期前半ごろ以降の可能性もあります。

つまり縄文時代中期前半ごろにはムラのそばの小規模な水場遺構でアク抜きが行われ、後期ごろになると、大型の木組遺構で大規模なアク抜きが行われたと推定されます。

大規模なアク抜きが増加した背景には、環境変化に伴う植生の変化も考える必要があります。4000年前ごろの縄文時代後期には、日本列島は寒冷化し、大規模なムラが解体し、分散したり減少したりしたことがわかっています。この現象から、縄文時代が衰退したと見る考え方もあります。

温暖な前期に上昇していた海水面は中期に下がり、後期前半ごろになるといったん退《ひ》いた海が安定して、低地に湿地林が成立しました。この湿地林のそばにはトチノキやクルミなどが増えてきました。わたしは、縄文人がそれら低地の植物資源を水辺で効率よく利用するために大規模な水場遺構を構築し、環境にうまく順応《じゅんのう》して多角的な植物利用を始めたと考えています(**図15**)。縄文人は寒冷化という環境変化に適応して、低地の新たな植物資源を生活に取りこんだのではないでしょうか。

水場遺構を伴う木の実の集中的な加工の痕跡は、トチノキやクルミを含む落葉広葉樹林が広がる東日本で確認され、常緑広葉樹林が広がってイチイガシが選択的に利用された西日本では、水場遺構はあまり確認されていません。つまり、採集できる植物資源の分布によって、アク抜きのための施設を作り、装備と施設を整える必要があった落葉樹林の人々と、年間を通して食料があり、アクも少ないドングリ類に依存していた常緑樹林の人々では、植物資源の利用のスタイルがかなり違っていたと考えています。

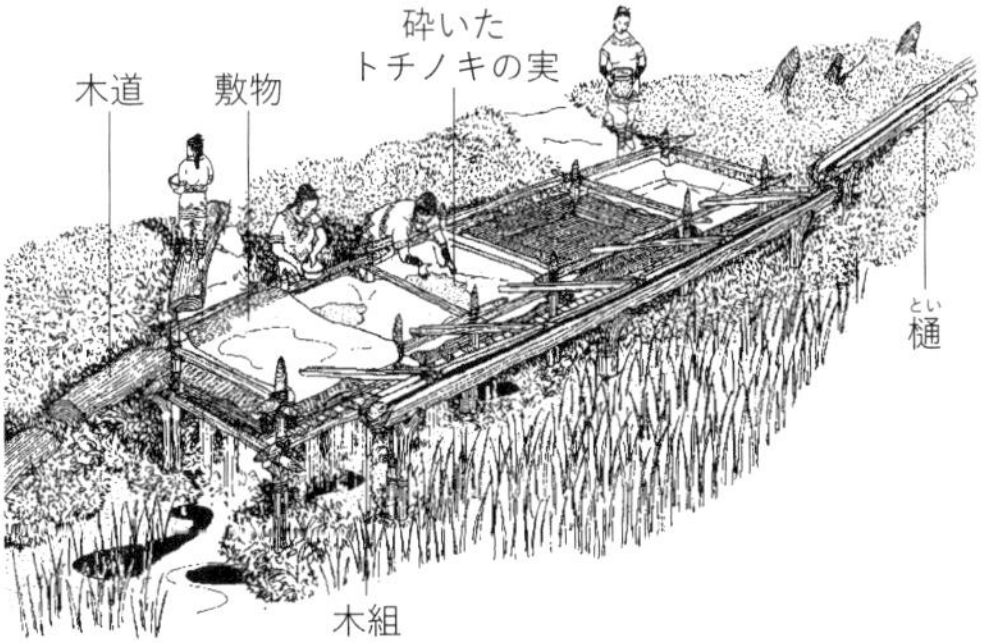

図 14　埼玉県赤山陣屋跡遺跡木組遺構の復元図（金箱 1996 より）

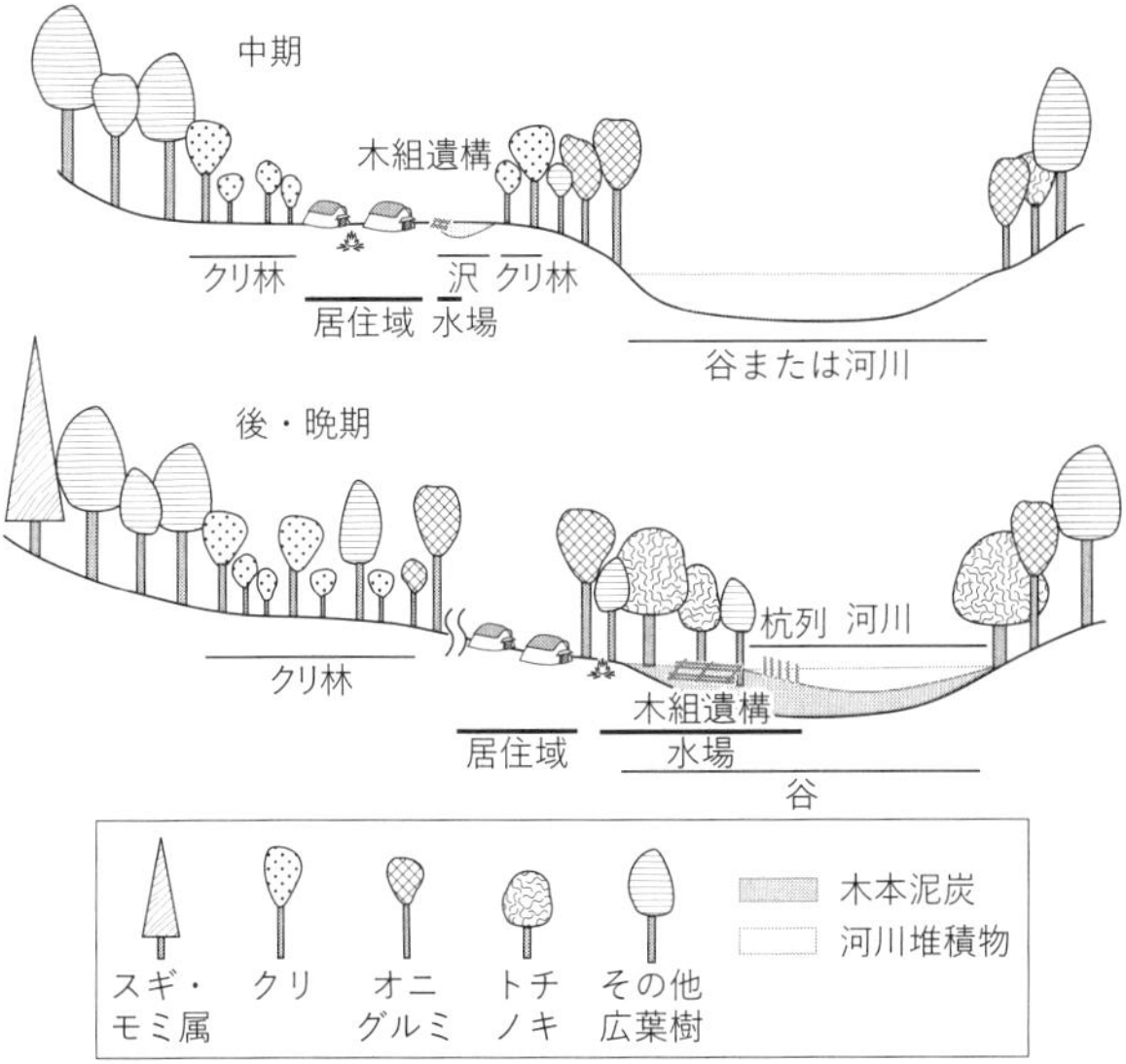

図 15　縄文時代中期から後・晩期の地形と植生変化．河川が埋まり低地林が成立（佐々木 2020 を改変）

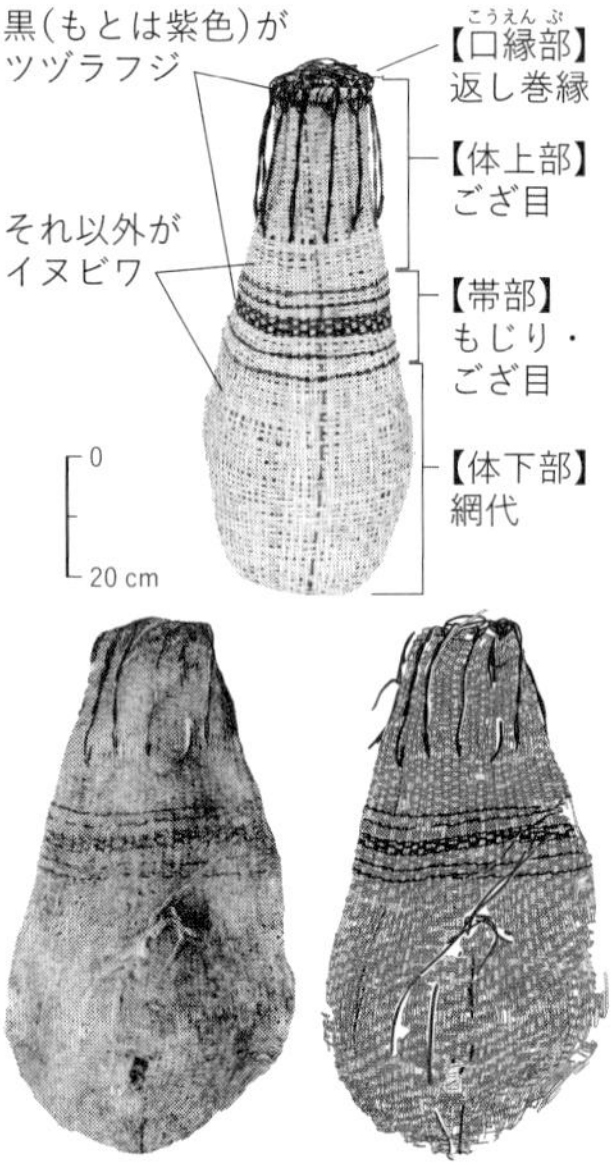

図 16　佐賀県東名遺跡出土の編みかご(左下)と復元かご(上). 中央の帯部を境に技法が変化する(佐賀市教育委員会 2017 を改変)

◉編みと組みの植物利用

縄文時代の道具では、編みかごや縄などの編組《へんそ》製品も重要です。編組製品とは、おもに植物素材を用いて編んだり組んだりして製作される製品です。現在、約100か所の縄文時代の遺跡から、編組製品の実物が出土しています。

なかでも、東名遺跡からは破片も含めて740点ほどの編みかごが発見され、日本列島で最も多くの編組製品が出土しました(**図16**)。わたしを含めて数人の研究者が状態の良い編みかごなど715個体の2265か所について素材植物を調査し、技法を1点1点観察しました。観察と素材同定のサンプリングだけでも遺跡に年に数日通って15年以上かかりました。

この結果、東名遺跡では、現在日本に残存するほとんどの編組技法が確認され、約800

0年前には編組技法がそろっていたこと、編みかごの技法に合わせて素材が選択されていることがわかりました。

東名遺跡の編みかごの大多数は、ドングリ類を貯蔵穴に入れるためのかごです。ツヅラフジというツル植物とイヌビワもしくはムクロジの木材を薄くしたへぎ材をうまく組み合わせて作っています。例えば、かごの途中に異なる素材を入れて技法を変化させ、口がすぼまる形を作ったり、口を閉じるための紐をかける耳を作ったりしています。

図17　編組製品の素材植物の地域性(工藤・国立民俗歴史博物館編 2017 を改変)

素材植物を調べると、植生に対応した地域性も見えてきました(**図17**)。ササ類などは広い地域に分布するのに、編みかごの素材に使う地域は限定されていて、

図 18　福岡県正福寺遺跡出土編みかご(左，久留米市教育委員会提供)と復元かご(中央)，右はウドカズラの気根

図 19　福井県鳥浜貝塚出土のリョウメンシダの縄(福井県立若狭歴史博物館所蔵)

編みかごの素材は地域ごとに選択されていたことがわかります。

使われている素材は現在の編みかごの素材とほぼ共通しますが、現在は使わない、ウドカズラというツル植物の根っこ(気《き》根《こん》)を利用したかご(**図18**)やイチイガシの木材を割り裂いたかごも出土しています。また、縄の素材にはワラビやリョウメンシダといったシダ類が多用されていることもわかってきました(**図19**)。

台地上の遺跡では、土器の縄目の痕跡や、土器製作時に底に敷いた敷物の痕跡から編組製品の利用が確認されてきました。

レプリカ法による圧痕分析は、種子や昆

虫だけでなく、編組製品の構造や技法の解明にも有効な方法です(**図20**)。岩手県御所野《ごしょの》遺跡および周辺遺跡で、縄文時代中期後半の土器の底に敷かれた編組製品の圧痕を採取したところ、ほとんどがタテ材に対してヨコ材が1本越えて1本もぐる動きを繰り返す「ござ目《め》」と呼ばれる技法で作られていました。また、素材は、現在のスズタケ細工《ざいく》の作家さんの指摘をきっかけに、特徴的な節《ふし》の形態から、スズタケというササ類と推定されました(**図21**)。驚いたことに、そのスズタケは割って、内面側を削《そ》いで、現在のスズタケ細工と同様に厚さ0・3ミリほどに薄く調整されていました。

スズタケや実物の編みかごに用いられた素材を用いて復元製作をしたところ、最初は植物が同じならできると思っていましたが、まったく薄い素材にならず、縄文時代にはなかった現代の鉄の道具を使ったのに手がとても痛くなりました。薄く削ぐには、素性《すじょう》の良い個体をとる年数や季節も考えて採取しないと、編む素材にするのが難しいことがわかりました。

割ったり削いだりせずに丸いまま用いることができるツル植物も、地上に絡《から》まるツルではなく、地面にまっすぐ這《は》って生育するツルでないと、硬いうえに枝分かれしてしまって、とても編みにくいこともわかりました。そうした良い素材を現代の森から調達し、加工するのは、現代の道具を使っても大変苦労しました。

良質の素材を一定量確保するには、常に森に手を入れておく必要があります。縄文時代のムラの周囲には、編組製品の製作に適した素性の良い素材植物をたくさん確保できる森が広

図20　土器の底に敷かれた敷物の圧痕とレプリカ（千葉市埋蔵文化財調査センター所蔵）

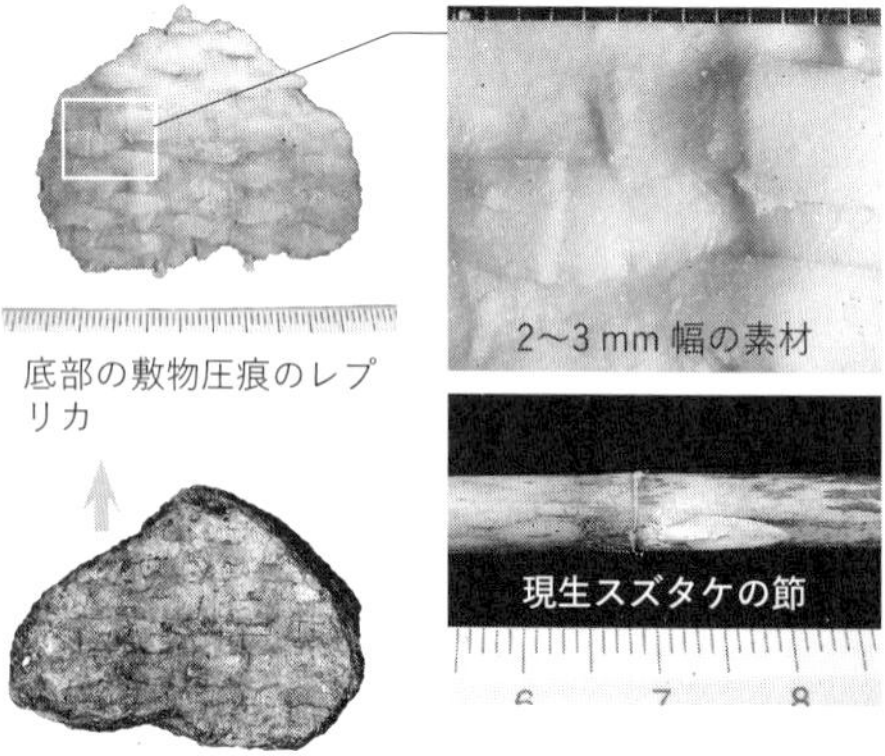

図21　岩手県御所野遺跡出土土器と圧痕のレプリカ（工藤雄一郎・国立歴史民俗博物館編 2017 を一部改変）

がっていたと考えられます（**図22**）。

◉おわりに

縄文人の植物資源利用の特徴は、栽培種と野生種とを問わず、有用な植物の生育状況や使い方に人が積極的に関わっていたことです。クリやウルシは林をつくり、クリは果実と木材を、ウルシは漆液《しつえき》と木材と果実を利用していて、資源として重要な植物は複数の部位を活用していました。このほか、アサや繊維を紐《ひも》や布、果実を食用として、ササ類も中が空洞になっている茎（稈《かん》）を編みかごなどの素材にし、種子を食用にしたり、ヒバも樹皮を編組製品、木材も利用するといったように、多様な植物を利用し、有用な植物はあらゆる部位が使われています（**図23**）。わたしはそれが広大な土地で穀類を栽培する大陸とは異

図 22　編組製品用のアズマネザサの採取復元画．葉が多数出る日当たりの良い個体は採取せず，葉がなく１年目の個体のみを材料とする（画：石井礼子，工藤雄一郎・国立歴史民俗博物館編『さらにわかった！ 縄文人の植物利用』掲載）

なり、起《き》伏《ふく》に富む日本列島の森林資源を最大限に生かす、縄文人が選んだ生活スタイルだったと考えています。

　このように資源利用の視点から縄文時代の植物遺体を研究すると、縄文時代の植物と人との関わりが見えてきます。縄文時代の人々は、単に自然界から植物を採集して利用したのではなく、植物資源を利用しやすいように植生を改変して維持していました。それを解明するのが植物考古学のおもしろさです。また、考古学の手法はもちろん、自然科学の手法や、民俗学《みんぞくがく》(民族学)の知識も取り入れたコラボレーションが必要なため、さまざまな分野の人と関わりながら研究を進めていくことが大切になります。

　日本での植物考古学研究の歴史は浅く、研究者もわずかです。縄文人の薬草利用や染料利用など未解明な事柄《ことがら》が多いのですが、現代人には想像もできないような植物利用に出会うことがしばしばあり、これからも新たな発見がたくさんあると、わたしは確信しています。

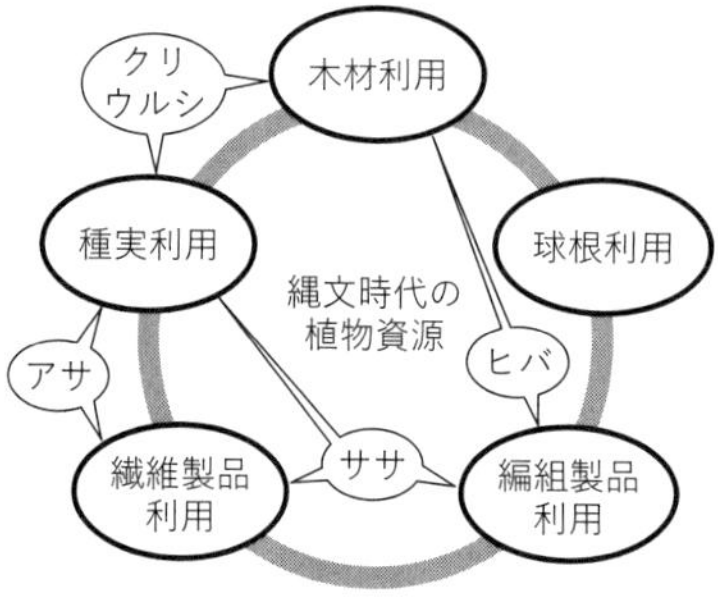

図 23　縄文時代の植物資源利用(佐々木 2020 を一部改変)

IV章

人骨と土偶が語る縄文人のくらし

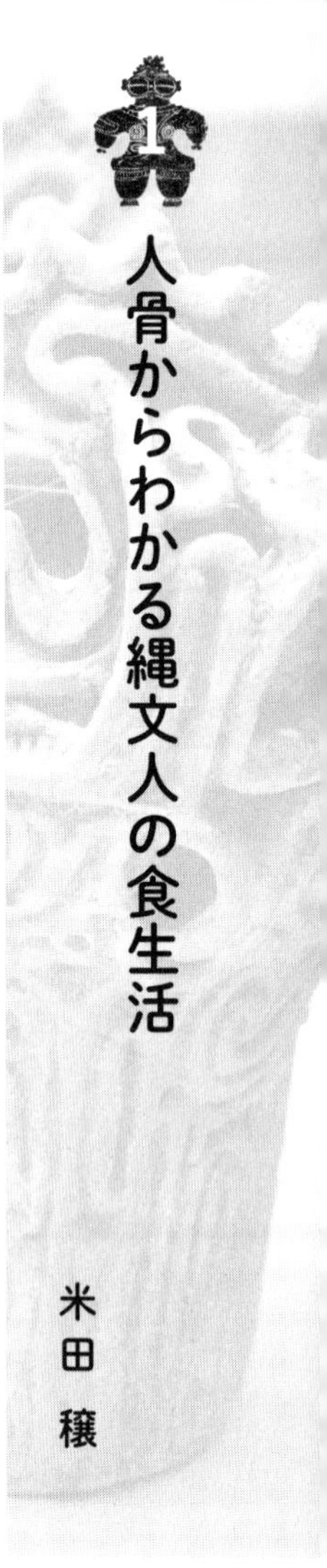

1 人骨からわかる縄文人の食生活

米田 穣

◉食べものに関する色々な研究

わたしたちヒトも動物なので、食べることが必要です。世界中の人々を見てみると、食べものの種類や調理の方法はさまざまです。ですが現在は、食品を新鮮なままで遠くまで素早く運ぶことができるようになったので、外国でスーパーマーケットを訪ねても、わたしたちの見なれた食品がならんでいます。

しかし、このような地球規模での流通によって世界中の人々が同じような食品を食べるようになったのは、20世紀になってからのことです。食品だけではなく、人や情報などが地球規模で交流することを「グローバリゼーション」と言います。わたしたちの食生活は、まさにグローバリゼーションの影響を直接的に受けています。

しかし、20世紀のグローバリゼーションよりも前の食生活には、土地ごとに生育・生息している植物や動物を利用しており、気候や環境によって多様な形で営まれていました。それでも、江戸時代には南米原産のサツマイモが日本全国に広がるなど、有史時代を通じてさまざまな食品が日本列島に到来しました。

さらにさかのぼると、約2800年前の弥生《やよい》時代のはじめのころに、中国の長江《ちょうこう》流域に起源があるイネが伝えられ、日本でも米が作られるようになりました。日本列島にはなかった野生のイネが、長い時間をかけて運ばれてきたと考えると、一種のグローバリゼーションが先史時代にもあったといえるかもしれません。世界各地で利用されている食物には、その土地の環境とともに、周辺地域との交流など文化の歴史も刻まれているのです。

また世界の食生活を見てみると、食べてよいものと、食べてはいけないもののルールや習慣が色々とあることにも気づきます。例えば、北米ではキリスト教のお祭りである感謝祭やクリスマス(降誕祭《こうたんさい》)に七面鳥《しちめんちょう》(ターキー)を食べる習慣があります。この習慣は日本にも伝わりましたが、ターキーを入手しにくい日本では、クリスマスにニワトリ(チキン)を食べるようになりました。キリスト教のカソリックには、金曜日に魚を食べる慣《なら》わしもあります。

イスラム教ではブタを食べることを禁止しており、ヒンズー教徒はブタもウシも食べられません。ユダヤ教でも、ひづめが2つに割れた反芻《はんすう》動物（ウシ、ヤギ、ヒツジ）は食べることができますが、ブタやウマ、ウサギは食べられないそうです。日本でも、仏教の影響で６７５年に肉食が禁止されて以来、哺乳類《ほにゅうるい》の肉を食べることは避けられてきました。

このように、社会全体で共有されている知識やルールのことを「文化」と呼びます。宗教的なルールだけでなく、さまざまな料理や保存食の作り方、食事に関するマナーも含めたものは「食文化」と呼ばれています。ヒトの食生活を知るためには、生きるために必要な栄養素を調べる栄養学だけでは十分ではありません。

◉食生活と社会

過去の人々の暮らしを調べる考古学や自然人類学でも、食生活はとても重要な研究テーマです。弥生文化の大家《たいか》である佐原眞《さはらまこと》さんが１９９６年に出版した『食の考古学』（東京大学出版会）では、稲作《いなさく》、製塩などの話題に加えて、縄文時代や弥生時代の土器の使い方（煮炊《にた》きと蒸《む》し）についても紹介しています。また、弥生時代に家畜のブタが存在した可能性についても、動物骨《どうぶつこつ》の研究を紹介しています。

稲作や家畜のように食料を生産した証拠は、考古学のなかではとくに注目されています。食料を生産することによって、社会が大きく変化したと考えられているからです。

世界のさまざまな社会や文化を調べる民族学（または文化人類学）では、社会の複雑さをいくつかの段階に区分して（例えば社会の単位をバンド・部族・首長制・国家と分ける）、時代とともに単純な社会から複雑な社会に変化すると考えていました。現在では、すべての社会が同じように変化したのではない、とわかっていますが、当時は社会全般に共通する法則があり、生物と同じように人間社会も「進化」すると考えられていたのです。

それでは、なぜ社会は複雑になるのでしょうか？　ドイツ出身の経済学者で哲学者でもあるカール・マルクス（1818〜83年）は、食料をどのように得ているのか、生産手段の変化と関係すると考えました。最初に起こった大きな変化として、自然の動植物を利用するだけではなく、自ら植物を栽培し、動物を飼育する食料の生産が注目されたのです。

栽培や飼育によって食料を安定して確保できるようになると、同じ場所に住み続ける定住生活が可能となります。磨製石器《ませいせっき》や土器などの新しい技術も発展し、さらに天体観測や暦《こよみ》などの科学技術も発展したと考えられました。

この変化は「新石器革命」や「食料生産革命」と呼ばれ、人類の歴史のなかで大きな分岐《ぶんき》点《てん》のひとつと位置づけられています。おそらく食料も、野生の動植物から農作物や家畜などに変化したはずです。さらに食物の生産量が増えるにしたがって、余った食物(余剰《よじょう》生産という)をめぐって、それを管理するためのリーダーやルールが必要になります。

このように、食料生産によって社会が複雑になった結果、社会での役割によって人々の影響力が異なる階層化社会ができたと説明されています。このように食料をめぐる変化は、社会の変化につながる大きな要因なのです。

◉食をめぐる考古学

ですが実際には、大昔の人々が食べた食料を調べることは、簡単ではありません。考古学では、「物質文化」と呼ばれる、人間が作った道具や建物がおもな研究対象です。石器のなかに矢や槍《やり》の先につける石鏃《せきぞく》や石槍《いしやり》が入っていれば、陸上の動物を狩猟《しゅりょう》していたことがわかります。ほかにも、網を沈めるための錘《おもり》や、木の実をすりつぶす石臼《いしうす》(石皿や擦石《すりいし》)なども、食生活にかかわる道具です。骨の道具（骨角器《こっかくき》）としては、漁に使う釣針《つりばり》やヤス（魚突き）も縄文時代から使われていました。石斧《せきふ》と呼ばれる石器のなかには、木《き》を伐るためではなく、地面を耕すのに使われた道具もあると考える研究者もいます。

しかし、さまざまな道具は、狩猟や漁労《ぎょろう》、採集の証拠になりますが、その対象だった動物や植物の具体的な種類まで知ることはできません。

一方、遺跡から出土する遺物のなかでも、動物の骨や炭化《たんか》した植物などは「自然遺物」と呼ばれ、人間の文化とは直接関係しないものとされてきました。しかし、20世紀後半に人間も環境のなかで暮らす生物の一員ととらえる研究が盛んになり、動物や植物の利用方法も広い意味での文化だという考え方が広まりました。それまでの道具にこだわる伝統的な考古学に対して、このような新しい研究は「環境考古学」と呼ばれました。

遺跡から出土する動物の骨や炭化した植物に関する研究は、それぞれ動物考古学（Ⅲ章1参照）、植物考古学（Ⅲ章2参照）と呼ばれており、専門家が活躍しています。

動物考古学では、骨をひとつひとつ丁寧《ていねい》に分類し、利用された動物の種《しゅ》のリストや、それぞれの個体数を集計します。さらに、頭と体と手足の骨の数に偏《かたよ》りがないか、骨の表面に残された傷がないかを調べると、どのように解体して運搬したのか、狩猟に関する行動の復元も可能です。

土に埋まった植物は、通常は腐《くさ》ってなくなってしまいますが、炭化した木材や種子などは、腐らないまま数千年にわたって保存されることがあります。また、地下水につかった状態の遺跡(低湿地《ていしっち》遺跡)では、酸素が少ないために植物が腐食せずに残ることがあります。このような遺跡では、縄文時代人が保存のために掘った穴(貯蔵穴《ちょぞうけつ》)から木の実が見つかることもあります。

しかし、動物の骨が残りやすい条件と植物が残りやすい条件は異なるので、動物と植物の両方の情報を比べることができない点が、過去の食生活の復元を難しくしています。

この問題にまったく別の方向から光をあてたのが、人骨の化学分析です。骨の成分は、土に埋まっているうちに変化して化石になることがあります。そのため、もともと生きていた時に作られた体の成分は失われてしまいます。しかし、遺跡から出土する数千年から数万年前の骨であれば、条件が整っていると骨に含まれているタンパク質が残っていることがわかりました。

このタンパク質は、生きていたときの体の一部なので、もともとは食べたものから作られています。骨のタンパク質を取り出して、その材料となった食物を推定する方法が、１９７０年代の終わりごろに考案されました。この方法によって、植物と陸の動物、海産物などを利用した割合を知ることができるようになりました。

◉縄文人の生態学

骨の成分から食生活を復元するための指標となるのが、炭素《たんそ》と窒素《ちっそ》に含まれる「同位体《どういたい》」の割合です。同位体とは、同じ元素(炭素や窒素)ですが、重さが異なる原子を指します。炭素の原子の99パーセントは重さ12の炭素12ですが、１パーセントだけ重さが13の炭素13が存在しています。その割合は、植物が二酸化炭素から有機物をつくる光合成の違いや、陸上の生物と海にすむ生物などで違いがあります。

窒素でも窒素14がほとんどですが、0.4パーセントだけ窒素15が存在します。窒素15は食料よりも体に少しだけ多くとどまる性質があります。生物の「食う・食われる」の関係に着目すると、植物よりも草食動物、草食動物よりも肉食動物で窒素15の割合が増えるのです。このような生物の食う・食われるの関係を「食物連鎖《しょくもつれんさ》」と呼びます。

陸上では、植物とそれを食べる草食動物、草食動物を食べる肉食動物と3段階の食物連鎖が見られます。それに対して、水の中の生態系では植物プランクトンから始まって、動物プランクトンや小魚、さまざまな大きさの魚介類を経て、シャチやオットセイなど海にすむ肉食の哺乳類にいたる、非常に長くて複雑な食物連鎖が存在しています。その結果として、わたしたち人間が食用にする魚介類には窒素15がかなり濃縮しています。

わたしたちの体は、食物を消化器官で分解した成分から作られています。そのため、植物をたくさん食べている人よりも、肉をたくさん食べている人のほうが窒素15が多いという特徴が、わたしたちの体にも反映するのです。

海産物をたくさん食べると、窒素15だけでなく炭素13も同時に増加する特徴がみられます。もしも植物と海産物から半分ずつタンパク質を得ていたら、両者の平均値に近くなるはずです。同位体を調べて食生活を復元する方法は、個別の食事を構成する品目についてはわかりませんが、食生活全体でどのような種類の食べものを、どのくらいの量で食べていたのかを示すことができるのです。

同位体を目印に動物の食べものから生物種の関係を調べる研究は、現在の生態系の研究でも広く応用されています。「同位体生態学」と呼ばれる分野ができるほど研究が盛んです。生態学という分野では、生物が同じ種《しゅ》の生物や別の種の生物、群れの仲間やほかの種の生物、さらに生物以外のさまざまな環境とどのように関係しながら暮らしているのか、研究しています。つまり、骨のタンパク質の残された炭素13や窒素15を手がかりに、縄文人の食べものを調べる研究は、縄文人と環境の関係を調べる生態学の研究でもあるのです。

わたしは大学3年生のときにこの研究法を知り、とてもおもしろいと思いました。わたしたちヒトを自然の一部として研究することで、「科学的に」人間を理解できると考えたのです。また、無意識に食べている動物や植物がどのように食品になったのか、もっと知りたくなりました。

◉縄文人から見たヒトの進化

そのように考えると、日本列島に暮らした縄文人は、ヒトという生物がどのように環境を使って生活してきたのかを調べるのに適した研究対象です。

生物は、さまざまな環境でうまく生き残り、少しでも多くの子孫(正確には自分の遺伝子のコピー)を残せるように、時間をかけて変化してきました。このように、世代を経て時間とともに生物が変化することを「進化」といいます。

一方、異なる環境のなかでうまく暮らしていくために生物が変化することを「適応《てきおう》」と呼びます。また、うまく適応できた個体が、時間とともに種《しゅ》のなかで子孫を増やすことで、生物種が進化していったしくみが「自然選択」です。

例えば、くちばしが少しだけ大きい鳥が、ほかの鳥が食べることができなかった大きな木の実を食べられるようになって子孫を多く残すことができれば、その鳥の群れはくちばしが大きいという特徴を持つことになります。これは、19世紀の終わりごろに英国人の博物学者チャールズ・ダーウィン(1809~82年)がまとめた学説です。

人類の場合は、アフリカの森林からサバンナ(灌木《かんぼく》のある草原)に生活の場が変わっていく過程で、石器を使って動物の遺体から残された肉や骨髄《こつずい》を取り出すようになりました。他の動物ならば、歯や爪、舌などが進化することで、残った肉をこそげ落とし、骨をうまく割れるようになったはずです。しかし、わたしたちの祖先は、新しい道具を使って体に新たな機能を追加できるようになりました。石器の作り方は、生まれたときから持っている本能ではなく、親や仲間から教えてもらう「文化」だったと考えられます。

ヒト以外にも文化を持つ動物はいますが、人類の場合は道具や暮らし方を工夫することで、世界中のあらゆる環境で生活できるようになったという、他の生物にはない特徴があります。

日本列島は、気候で見ると亜寒帯(冷帯)に属する北海道と、亜熱帯の南西諸島(奄美《あまみ》諸島と琉球《りゅうきゅう》諸島)と、その間に位置する温暖湿潤気候の本州・四国・九州からなる、南北に長い列島です。北海道には梅雨《つゆ》がないので年間降水量が少なく、冬の平均気温が摂氏0度を下回ります。雨が少なく寒暖差の大きな気候のため、森林の樹木も本州とは異なります(**III章2図7**参照)。陸上にすんでいる動物の種類も、季節的に回遊してくるオットセイや魚類(サケやマス、ニシンなど)など、海の生物の種類や量も本州とはまったく異なります。

南西諸島は一年中気温が高く、降水量も多い亜熱帯の気候です。海水温も高いので、海岸部にはサンゴ礁《しょう》が発達しています。森林でもドングリを作るブナ科の植物が比較的少なく、比較的大きな哺乳類はイノシシの亜種であるリュウキュウイノシシしか生息していません。

興味深いことに、このような環境の違いがあるにもかかわらず、縄文時代の文化を特徴づける縄文土器は、北海道から沖縄まで広く分布しています。日本中でまったく同じタイプの土器を使っているのではありませんが、隣り合った地域ではよく似た土器を使っています。北海道から沖縄まで日本中の地域が、お互いに情報をやり取りする関係でつながっているので、ひとつの文化、すなわち「縄文文化」に区分されています。

◉同位体で見た北海道・本州・沖縄の縄文人

縄文文化は土器が使われ始めた1万6000年前から、水田でイネを育てる農耕を含む弥生文化の導入まで1万年以上も続きます。弥生時代には、新しいタイプの土器である弥生土器や金属の道具などが、はじめて日本列島で使われるようになります。なかでもイネの栽培がもっとも大きな変化とされています。

このイネ栽培は、九州北部に2800年前ごろに朝鮮半島から伝わり、数百年の間に九州南部から東北北部の青森まで伝わりました。しかし、北海道と南西諸島では水田は作られず、縄文時代と同じような生活が続いたと考えられます。そのため、北海道と沖縄では、弥生時代と同じ時期の文化をそれぞれ続《ぞく》縄文文化、貝塚《かいづか》文化後期と呼んでいます。

専門用語で土器型式といわれる土器の形や模様を見ると、北海道と東北北部あるいは沖縄と九州南部では類似《るいじ》した土器を用いています。では、実際に縄文人の暮らしぶりも似ていたのでしょうか？

わたしは、大学の卒業研究では長野県、大学院生になってからは北海道や東北、関東の縄文人骨を分析してきました。その結果、北海道と本州では海産物の割合が大きく違うことがわかってきました。さらに、沖縄県浦添城《うらそえぐすく》の調査をきっかけに、沖縄の研究者から協力が得られるようになったので、縄文時代後期（4500〜3200年前）の人骨の同位体比で、北海道から沖縄まで日本列島のさまざまな遺跡での食生活を比較することにしました。

図1を見るとわかるように、縄文時代後期の縄文時代人は炭素と窒素の同位体の特徴で、3つのグループに分けられました。

それぞれの特徴を見てみましょう。図の右上に位置するのが北海道に暮らした縄文人です。炭素と窒素で、重たい同位体比（炭素13と窒素15）が多く含まれる特徴は、海の生物のなかでも大型魚やオットセイなどの哺乳類とよく似ており、北海道の縄文人は海産物を非常に多く食べていたと考えられます。

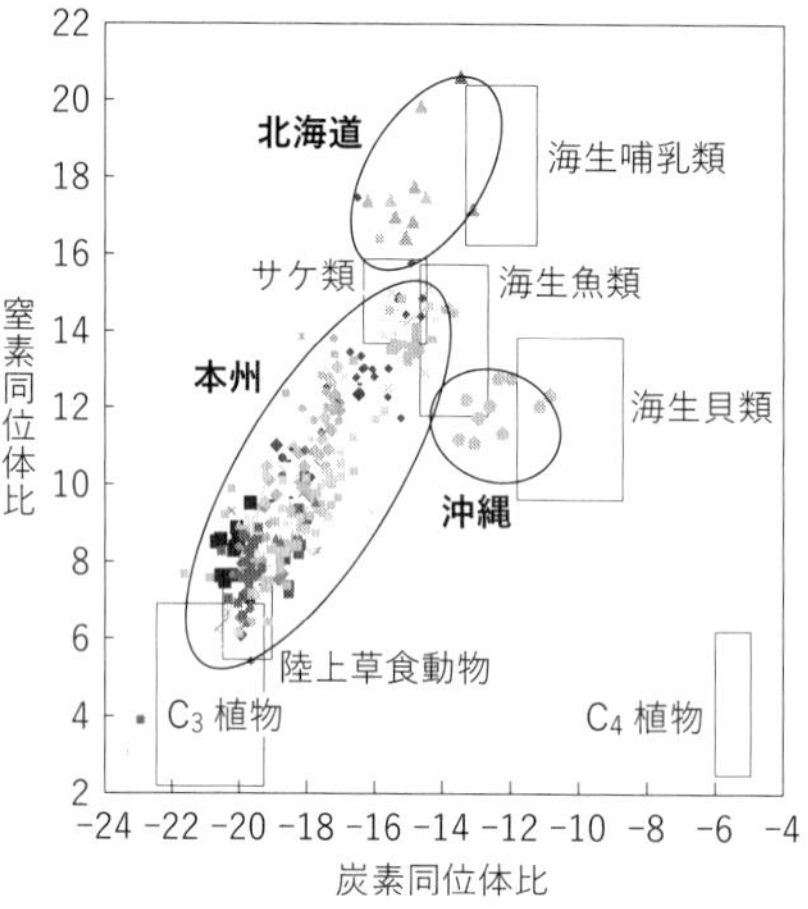

図 1　縄文時代後期人骨の炭素・窒素同位体比(記号は遺跡ごとに変えてある)

図の右下に分布する南西諸島の縄文人骨では、炭素13の割合は高いのですが、窒素15は北海道の縄文人ほど多くありません。これは沖縄で利用された海産物がサンゴ礁にすむ魚介類だったことと関係します。

海洋では、植物プランクトンの繁殖《はんしょく》に必要な窒素やリン、鉄などの栄養素が深い海水に閉じこめられています。海水が上下にかき混ぜられないと、栄養素を使って植物プランクトンが繁殖して、有機物を作ることができないのです。北海道周辺の海では、冬になると海水が冷やされて重たくなるので、表層の海水が沈みこみ、上層にまで栄養素がもたらされます。そして春になると、植物プランクトンが大繁殖するのです。

陸上では太陽のエネルギーが強い赤道近くで植物の量が増えるので、寒い地域の海が暖かい海よりも栄養豊富なのは意外かもしれません。しかし、食物連鎖で濃縮する窒素15をみると、北海道で利用された魚類や海にすむ哺乳類のほうが、沖縄のサンゴ礁にすむ魚介類よりも、ずっと多くの窒素15を含んでいます。海の生態系の違いが、北海道と沖縄の縄文人の骨にも影響していることは、縄文人が生態系の一部だった証拠のひとつと言えそうです。

北海道と沖縄と比べると、本州の縄文人の骨には炭素13の割合は少なく、炭素13と窒素15の量が連動して増減することがわかります。

このことは、炭素13と窒素15の両方が少ない食べものと、その両方を多く含む食べものを利用しており、その2種類の食べものの割合が多かったり、少なかったりしたと考えられます。本州の縄文人の場合は、陸上の動植物と海洋あるいは湖や河川の魚介類を組み合わせたようです。亜寒帯・温帯・亜熱帯の環境に適応した縄文人は、同じような土器を使っていましたが、食生活は大きく異なることが、こうして骨の成分から明らかになりました。

◉弥生時代に食生活は変化した？

じつは、骨の同位体を測定する以前から、北海道や南西諸島の縄文人たちが独自の食文化を持っていたことは、動物考古学や植物考古学の研究者からも指摘されていました。

北海道の貝塚からはオットセイなどの骨が多量に出土しており、海獣を狩るために骨製の銛先《もりさき》が発達しました。沖縄の貝塚でも、サンゴ礁にすむさまざまな魚介類を盛んに食べていた証拠が見つかります。植物についても、本州でよく食べられたクリが、北海道ではもともと生《は》えていなかったようですが、縄文時代中期になると本州から持ちこまれた可能性があります。北海道の縄文人が利用した植物は、本州のものとは大きく異なっていたのです。

しかし、陸上の資源と海の資源の割合がこれほど明確に3つの地域で異なることは、動物だけを見ても、植物だけを見ても、予想することができませんでした。動物あるいは植物からもたらされた炭素や窒素を区別しない人骨の特徴があったから、はじめて縄文文化のなかにまったく異なるといってよい食生活が含まれていたことがわかりました。

弥生時代に入りこの違いがどのように変化するかを見ると、さらにおもしろいことがわかります。本州・四国・九州に弥生文化が広まったころの北海道と沖縄の人骨も加えた炭素と窒素の同位体のグラフを見ると、縄文時代後期と同じように3つのグループに分かれていたのです(**図2**)。

弥生時代に広まった水田での稲作は、自ら食料を作るという新しい生活スタイルです。稲作は、食生活のみならず社会のあり方にも大きな影響をおよぼしたと考えられていました。しかし、骨の同位体の特徴だけで見ると、本州の弥生人の食生活はそれほど大きく変わっていないようです。

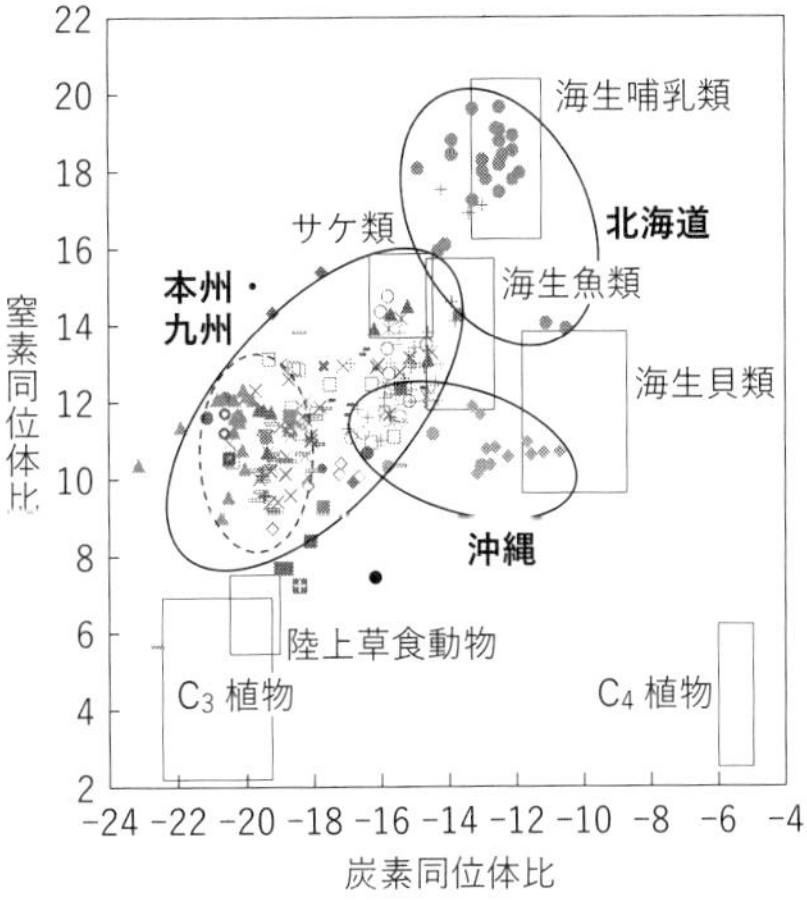

図 2　弥生時代人骨の炭素・窒素同位体比（点線の円は九州北部の分布範囲，記号は遺跡ごとに変えてある）

本州の弥生人は、陸の動植物と魚介類の両方を利用する点で、縄文人の食生活と共通しているので、縄文人と炭素と窒素の同位体比が似ています。陸上の動植物のなかには新たに水稲《すいとう》が加わりましたが、陸の食物と魚介類を組み合わせた食生活という意味では、本州の縄文時代の食文化は弥生時代にも引《ひ》き継《つ》がれているようです。

一方、日本列島で最初に弥生文化が伝

わってきた九州北部では、同位体比で見ると魚介類はほとんど食べていないことがわかりました。山陰や関東に弥生文化が広まっていく過程で、食生活のなかで海産物が占《し》める割合が増えるのは、弥生人が地元の縄文人の食生活から影響を受けた結果かもしれません。

西アジアからヨーロッパに伝わった麦類とヤギ・ヒツジを組み合わせた農耕牧畜では、ムギの茎《くき》や葉を家畜に与え、その糞《ふん》から作った堆肥《たいひ》を肥料として畑にまきました。窒素がうまく循環するサイクルとして、農耕牧畜が成立していたと考えられます。一方で、弥生時代に日本列島に渡来《とらい》した家畜としては、ブタとニワトリの骨が見つかっています。

ブタは植物の茎や葉を消化できないので、西アジアやヨーロッパのように草食動物と畑作のサイクルは弥生時代には成立しませんでした。しかし、水田には常に水とともに周囲から栄養素が流れこんでいるので、肥料がなくても収穫が減らないという優《すぐ》れた特徴があります。そのためか、日本列島では水田によるイネの栽培は定着しましたが、家畜としてブタを飼育する習慣は根付《ねづ》きませんでした。家畜の肉を利用しなかったのは、弥生時代の水田での農耕と魚介類を組み合わせる日本独自の食生活が成立したからかもしれません。

◉縄文時代に農耕はあったのか？

弥生時代に最初に水田で稲作を始めた北部九州の人骨の同位体比を詳しくみると、炭素13が低いにもかかわらず、窒素15は比較的多く含まれました。このような同位体比の特徴は、縄文時代の人骨では見られません。水を張った田んぼの土には酸素が少ないため、バクテリアの作用で窒素15の割合が高くなることが原因と考えられます。

本州・九州の弥生文化の食文化は、水産物と陸上の動植物を組み合わせる特徴は縄文時代と共通しますが、陸上の動植物のなかでイネが占める割合は大きかったようです。

近年、縄文時代にダイズやアズキが栽培されていたかもしれない、という議論が起こっています。土器の表面に残された小さなへこみ(圧痕《あっこん》)を調べてみると、ダイズとアズキの野生種(ツルマメとヤブツルアズキ)よりもはるかに大きな豆の痕《あと》が見つかったのです。農作物は、野生種よりも大型になることが多いので、縄文土器の圧痕に残されたマメ類も栽培されていたと考える研究者もいます(III章2参照)。

マメ類は根に根粒菌《こんりゅうきん》というバクテリアがすんでいて、大気中の窒素を有機物にして植物に供給しています。そのため、比較的栄養が少ない土地でも育つことができます。同位体生態

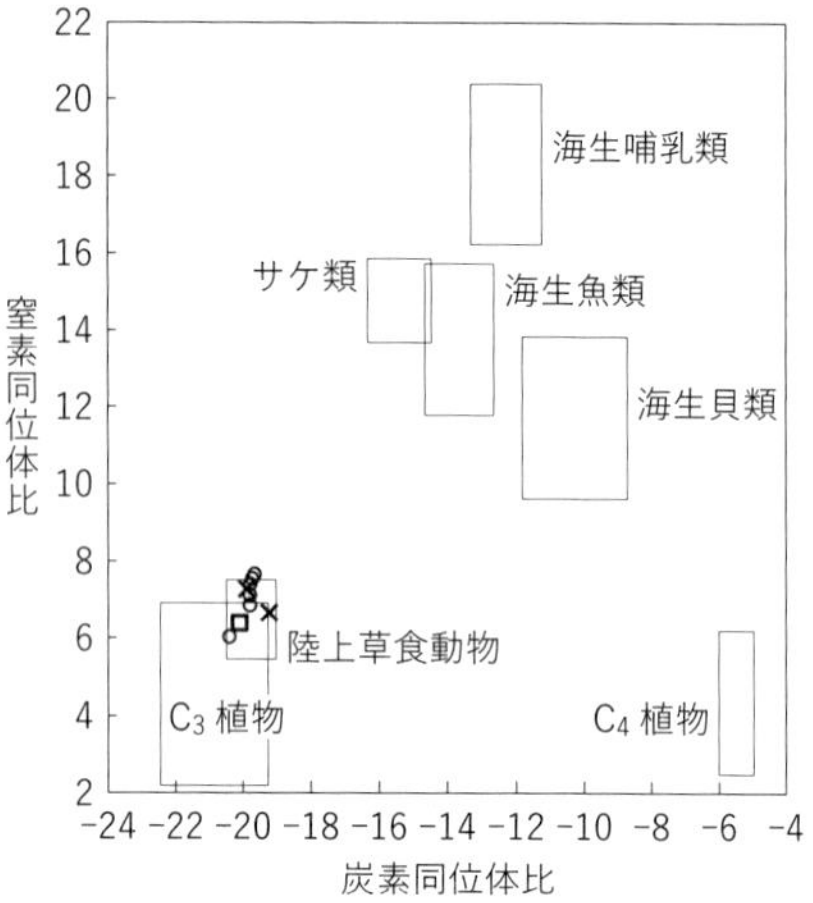

図 3　長野県の縄文時代早期人骨（○と□）と中期人骨（×）の炭素・窒素同位体比

学の視点でみると、水田のイネとは反対に、窒素15が少なくなる特徴があります。

しかし、マメ類が栽培された可能性がある長野県の縄文時代中期の人骨の同位体比は、縄文時代早期の人骨とほとんど変化はありませんでした（**図3**）。つまり、もしも縄文時代にマメ類が栽培されていたとしても、食生活に与えた影響は弥生時代のイネとは比較にならないほど小さかったはずです。

マメが大きくなった原因については、栽培以外の可能性もあるとわたしは考えています。縄文時代の集落には、ヒトの排泄《はいせつ》物《ぶつ》や動物骨などから多くの窒素が蓄積しています。また、沿岸の集落では貝殻も持ちこまれ、貝殻に含まれるカルシウムによって土壌が植物の生育に適したアルカリ性に変化します。こうして縄文人は、無意識に植物の生息環境を改良していたのかもしれません。

わたしたちヒトは、周辺の環境を積極的に変えて、さまざまな土地で暮らすことができるようになりました。ヒトが自分たちの生存のために作り出した新しい環境は、他の生物も引き寄せます。今でもゴキブリやネズミのように、ヒトの住居に隠れすむ動物もいますし、田畑に生える雑草もその一例です。ヒトと動植物は、相互にかかわりながら進化している視点が重要です。

縄文時代の大きな「ダイズ・アズキ」については、ヒトが栽培した結果なのか、植物が自らの都合で進化した結果なのか、研究者によって意見が分かれています。わたしは同位体という道具を使って、生態学の視点から、さらに研究を深めたいと考えています。

2 土《ど》偶《ぐう》とは何か

阿部芳郎

縄文時代を代表する遺物のひとつに、土偶があります。博物館や本で見たことがある人も多いことでしょう。最近の発掘品のなかには、完全な形で出土《しゅつど》し、造形的なすばらしさなどから国宝に指定されたものもあります（**図1**）。

土偶はヒトの形を表現したものと考えられることから、土偶に描《えが》かれた文様《もんよう》を衣服としてとらえる見方や、一見すると異様な顔の表現から精霊《せいれい》や神像とする意見などもあり、土偶が何を目的として作られたのか、見解は一致していません。

小林達雄《こばやしたつお》氏は、土偶や石棒《せきぼう》（棒状の石器《せっき》）など日常生活に利用されたものではなく、祭祀《さいし》など特別な用途で作られた道具を「第二の道具」と呼びました。そして、これらの道具の発達が縄文文化の特徴のひとつであると指摘しました。

最近では、その顔や形態が縄文人の食べ物に似ていると想像し、食べ物の精霊であるといったおもしろい考え方が示されて話題を呼びました。ただしこれらの考え方は、実証性にとぼしかったり、そのとらえ方を支持する事実が示されていなかったりして、推測に矛盾《むじゅん》が多いことも事実です。個人の創造は時として新しい発見につながることもありますが、具体的な資料や現象から検証できない考えは、想像でしかありません。

その一方で、わたしたちの日常生活で起こるさまざまなことも、それぞれが無関係に起きているように見えても、「風が吹けば桶屋《おけや》がもうかる」ということわざがあるように、じつは個々のできごとが直接見えないところで相互につながりあっていることもあります。わたしは土偶とは何かという問題を考える場合、こうした見方も重要であると思います。

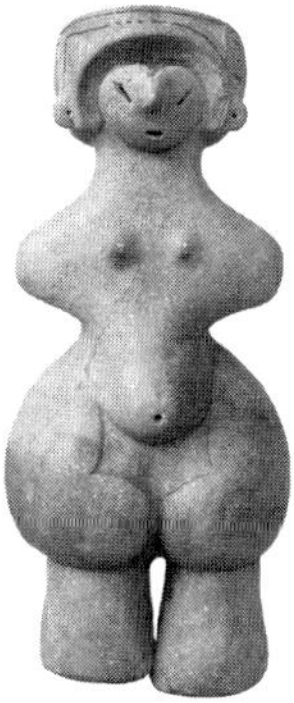

図 1　国宝の土偶「縄文のビーナス」(長野県棚畑遺跡，茅野市所蔵)

◉社会から土偶を見る視点

土偶という遺物も何らかの目的をもって作られた道具と考えるならば、きっと土偶の出現やあり方の変化に関連するできごとがあっ

図2 草創期の土偶（三重県粥見井尻遺跡，三重県埋蔵文化財センター提供）

たに違いないと思います。そしてそれは、ただ土偶だけを見つめて憶測をたくましくしたり想像にふけるよりも、縄文時代に起こったさまざまなできごとと土偶の相互関係のなかで、土偶の意味を考えてみることも大切な視点のひとつです。

では、土偶とはどのような社会で必要とされたのでしょうか？

◉出現期の土偶の特徴

今から約1万1000年前に出現する最古の土偶は、小形で手足の表現も未発達で、胴体と乳房が表現されているのみです（**図2**）。このように、初期の土偶は胴体と乳房に限定されていて、顔も表現されていません。しかしその反面、初期の土偶は、乳房とお腹《なか》が象徴的に表現されている点が重要だとも言えるでしょう。すなわち、土偶とは妊娠《にんしん》した女性を象徴化した道具なのです。

初期の土偶が出土した遺跡の特徴は、まだこの時期ではめずらしい竪穴住居址《たてあなじゅうきょあと》を残すムラである場合が多いのです。縄文時代草創期は、狩猟《しゅりょう》を主体とした旧石器時代の遊動的な生活から定住的な生活へ移行する時期です。地面を掘りこんで、柱で屋根を支える竪穴住居は、居住や飲食だけでなく、出産や育児の場としても使われたに違いありません。

転々と住む場所を移動する生活が続く旧石器時代とは異なり、生活の中心となる住居のある遺跡から土偶が出土することには大きな意味があると思います。つまり動物が子供を産むのとは異なり、縄文人にとっても子供の出産は、自分たちの社会の未来を支える存在としての意味をもつようになったことを示しているのだとわたしは思います。

◉土偶の出土量の違い

この章の冒頭に、土偶は縄文時代を代表する道具であると説明しましたが、土偶は日本各地の縄文時代の遺跡から出土するわけではありません。また、ひとつの地域から縄文時代のすべての時期の土偶が出土することもありません。つまり、土偶とはまるで点滅する信号のように出現と消滅を繰り返しているのです。

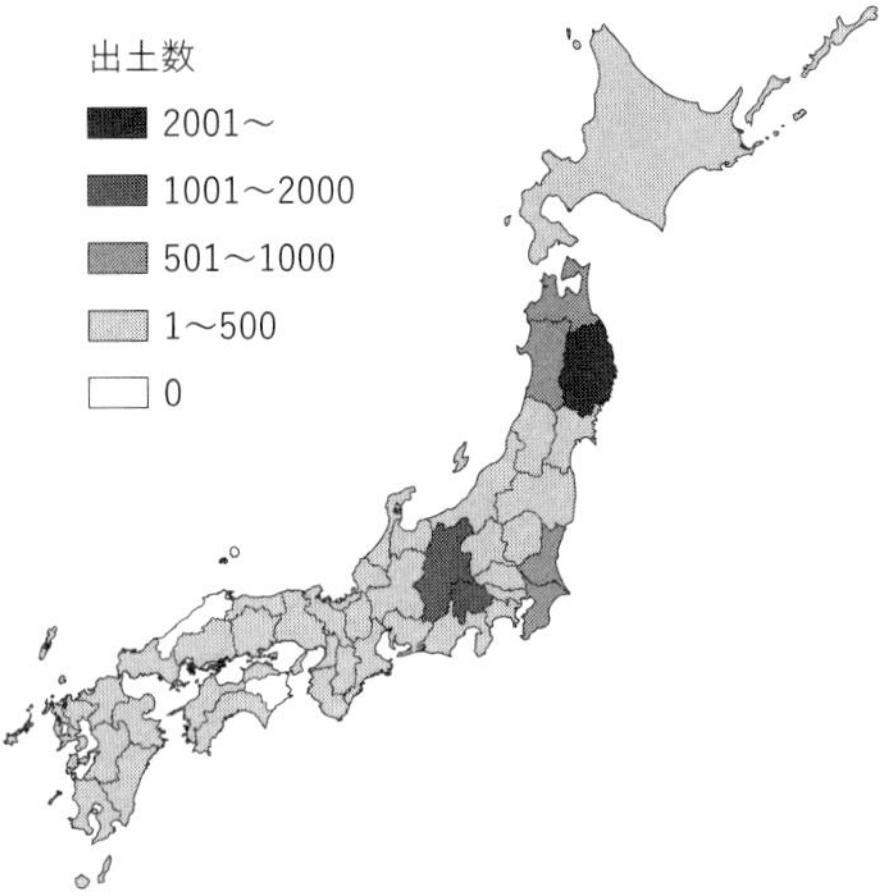

図3　全国の土偶の出土量（八重樫 1992 を改変）

土偶は戦前から多くの研究者に注目されたこともあり、これまでにたくさんの出土品がありますが、なかでも土偶が多く出土する地域は限定されていることが知られていました。

約５０００年前の縄文時代中期の土偶は、山梨県や長野県などの中部地方で多く発見されています。それが約３８００年前の縄文後期になると、今度は千葉県や茨城県の周辺に移り、３０００年ほど前の縄文晩期では青森県や岩手県に集中地域が移動します。また土偶は日本全体で見ると、東日本に集中していることも大きな特徴です（**図3**）。

では、たくさんの土偶が出土する地域ならどこでも多量に見つかるのかといえば、決してそうではありません。例えば、千葉県は縄文時代後期に土偶が集中する地域ですが、土偶が多出する遺跡は極めて限定されています。約600個あまりの土偶が出土する遺跡の周辺の集落では、数個から10個前後にとどまっているのです。他の地域でも、多くの土偶が出土する遺跡は、その地域でも限定された数遺跡しかないのです。これらの土偶多出遺跡の存在が、多量の土偶が出現した背景にあることは、土偶の性格を考える場合、とても重要であると思います。

ただ土偶を見て、その人間離れした顔の表現や文様などから、さまざまな想像をめぐらせる考えもありますが、道具とは、それが必要とされて作られたものなので、その道具を必要とした社会の側《がわ》から土偶の意義について考えるのも大切な方法です。

ただし、「文化」や「社会」とは遺跡を掘れば地中から出てくるものではありません。土《ど》器《き》や石器などの生活の道具や、貝殻《かいがら》や木の実や動物の骨、住居やお墓など当時の生活にかかわる痕跡《こんせき》を手がかりとして、はじめて復元できるものなのです。

これらの多様な手がかりをつなげて過去の歴史を考えることが、考古学本来の形なのです。

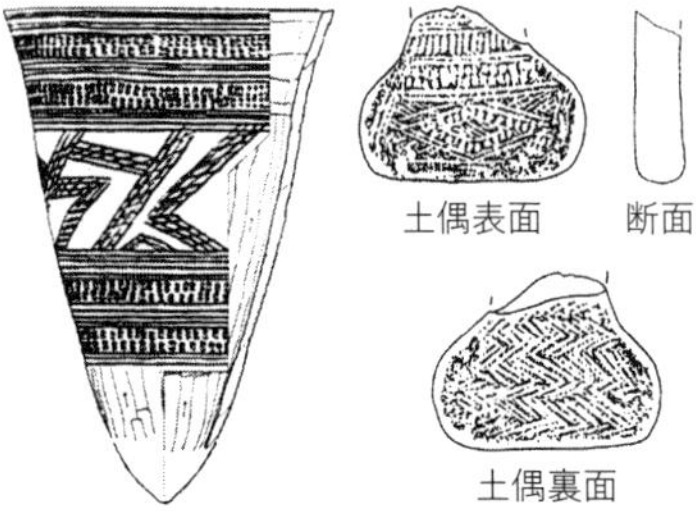

図 4　土器文様（左：TN 207 遺跡，1981『多摩ニュータウン遺跡調査報告書』2，東京都埋蔵文化財センターより）と，土器文様が描かれた土偶（右：庚塚遺跡，石橋 1987『庚塚遺跡』千葉県埋蔵文化財センターより）

◉土偶に文様を描く意味とは何か

次に、土偶に描かれる文様に注目してみましょう。出現期の土偶は人体の表現が素朴《そぼく》でしたが、縄文時代早期中葉《ちゅうよう》の約9000年前になると、一部の地域から文様が描かれた土偶が出現します（**図4**）。

縄文土器でも、草創期から早期といった古い時期の土器の文様は、無文《むもん》か縄《なわ》や棒に刻みを施《ほどこ》した道具（施文具《せもんぐ》）を土器の表面に転がして印刻を付けた模様が多いのですが、9000年ほど前になると、関東地方や東北地方の一部で、細い串や箆《へら》のような道具を使い、細い線で自在に文様を描くようになります。これがひとつのきっかけになり、以後の縄文土器は線や粘土《ねんど》紐《ひも》で自在な文様を描きはじめます。そして土器の文様に、より明確な地域性が生まれます。このように、土器文様の発達の歴史から、文様のもつ意味の多様化を読みとることができるのです。

早期の土偶に描かれる文様は、土器の文様と極めてよく似ています。こうした事実から、土偶は妊娠した女性であるとともに、土器文様と同じように、他の地域の人々とは区別される、固有の伝統をもつ社会の一員であったことがわかります。

そして生まれてくる子供も、母親と同じ伝統をもつ社会の一員として出生することが期待されたのではないでしょうか。土偶は女性が妊娠した姿を現していることからも、よく安産の神様と言われますが、出産とは生物学的な母子の関係だけでなく、社会の一員としての役割が期待されていたのでしょう。それは生物としての「ヒト」ではなく、文化をもつ「人」なのです。


あらゆる生物は、さまざまな方法で子孫を残します。植物は受粉による結実《けつじつ》、昆虫や魚類は産卵、哺乳類《ほにゅうるい》では出産と呼ばれますが、生まれる前から集団の帰属性を期待する親の行動は、ヒト以外では見られません。

ヒトは妊娠から出生、そして子供が親離れするまでの時間が一番長い動物だと言われます。親離れまでの長い間にさまざまな社会や文化の制度を学び、その社会の一員として生きるのです。ヒトは世界中で固有の文化や社会を作っていますが、それはヒトが単なる生物ではなく、社会を支える資源として「ヒトを人化《ひとか》」しているのだとわたしは考えています。

図5　縄文後期のポーズ土偶（青森県風張遺跡，八戸市教育委員会 1990『風張 1 遺跡 II 発掘調査報告書』より）

図6　土偶の顔を付けた土器（長野県岡谷市海戸遺跡，市立岡谷美術考古館提供）

各地の土偶が、土器の文様と類似《るいじ》した特徴をもつことの理由は、出産が文化的な営みであったことを意味しています。縄文時代に土偶が出現することは、こうした人としての営みや、ヒトを資源化する社会の進化を象徴しているのです。

◉身体表現の発達

ところで、手足が表現される土偶は、東日本を中心に縄文時代中期以降に数が増えます。通常は立像ですが、東北地方の後期から晩期の土偶には蹲踞《そんきょ》土偶という座ってポーズをとる土偶（**図5**）も出現します。この土偶は出土数も限られていて、腕をよじるなど独特の姿勢をしているので、当時の女性が祭祀《さいし》や出産のときにとる姿勢だとする意見もあります。

土偶の文様は同じ地域の土器文様とよく似ていて、その伝統がとても長く続きます。土器の作り手は女性であったという考えがありますが、この考えを参考にすると、土偶が女性の体を表現していることがよく理解できます。土偶と土器の文様に共通性が高い事実も、この推測を裏付けています。

縄文中期には中部地方を中心に顔面把手付土器《がんめんとってつきどき》(**図6**)が出現しますが、この顔面も同じ時期の土偶の顔とよく似ています。これらの土器を作ったのが女性であることからすると、同じ粘土の造形である土偶も作り手が女性だったと素直に理解することができるでしょう。

●大きな土偶と小さな土偶

関東地方を中心に、土偶は今から3800年ほど前のものから出土が多くなります。数の変化とともに注目されるのは、これらが作り方の異なる土偶のグループから構成されている点です。この時期に作られる土偶は頭の形が三角形をしているので、「山形土偶」という呼び名が生まれました。

山形土偶には、大きく立派で丁寧《ていねい》に文様を描いたA類土偶と、やや小形で文様の簡素なB

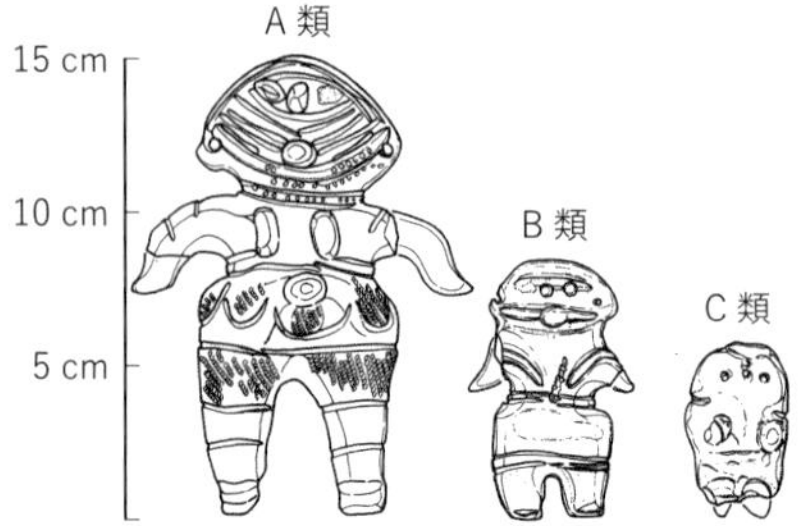

図7　土偶の作り分け(阿部2007を改変)

類土偶に加えて、形や文様が極めて簡素なC類土偶から構成されています。そしてたくさんの土偶が出土する遺跡の土偶はB類やC類と分類される土偶が多いのです(**図7**)。

大形のA類土偶は頭や胴体と手足を別々に作り、これを接合して作りますが、B類やC類土偶はひとつの粘土の塊《かたまり》を板の上にのばして手足も平らにし、これをさらに引きのばして、まるで飴細工《あめざいく》のようにして作るため、一体化していて壊れにくいのです。

土偶の研究者のなかには、土偶は祭祀のとき、わざと壊してその破片を大地にばらまき豊穣《ほうじょう》を祈願したのだ、という意見もありますが、ここで述べたB類やC類土偶の作り方は、そのような推測を支持していません。また大形の土偶には、折れた手足を天然アスファルトで接着して補修したものもあるので、「土偶を壊してばらまいた」という考えに否定的な条件が多いことも理解できます。

◉作り分けの意味

では、こうした土偶の作り分けには、一体どのような意味があったのでしょうか？

A類からC類土偶はどれも山形土偶の特徴をもっているので、これらの土偶はA類を土偶祭祀の象徴的な道具として理解していたのでしょう。大形のA類土偶は土器文様との共有性が高く、同じ土器文様を描く地域社会全体の一員としての意味を象徴化させたと思われます。

それに対してC類などの無文の小形の土偶は草創期や早期の土偶のように、個別か小集団内での出産が祈願されたのかもしれません。このように、土偶の作り分けは出産にかかわる儀礼の複雑化を意味しているとわたしは考えています。

重要なのは、これらの作り方が異なっても、土偶の多くは妊娠した女性をモデルとしていることです。

◉土偶が多量化する背景は何か

縄文後期の土偶の多量化する地域には、存続期間が1000年を超えるほど、極めて長い期間にわたってムラが営まれた遺跡も多くあります。それは、こうした地域社会を維持するためのさまざまなしくみが存在したからこそ、可能になったに違いありません。

このように、後期における土偶の多量化という現象の背景を考える時に、土偶が具体的に作られ、利用された遺跡の性格は重要なヒントになると思います。それは遺跡そのものが、生活の実態を直接に示す証拠になるからです。

土偶の存在と遺跡の継続期間は因果関係にあるのです。

◉土偶に歴史を読む

「土偶とは一体何か?」という問いは、100年以上も昔から考古学者が議論してきました。体の模様は衣服であるという考えや、顔面の模様を入れ墨《いずみ》ととらえるなど、「ひとがた」はさまざまに議論されてきました。研究の初期のころは、まだ縄文時代とも呼ばれていない時代でしたから、たくさんの出土品を集めて考えることが当時の研究の主流でした。

その後、考古学の研究は進展し、本書でも紹介している動物考古学や植物考古学など、分野が細かく分かれました。また、歴史の当事者そのものでもある人骨の研究が人類学のなかで進められるようになりました。そうしたことから、土偶を用いた人々の暮らしぶりや、当時の人の食べたもの、住居や墓、ムラの大きさ、そして炭素年代測定法の普及によって具体的な遺跡の継続期間などもわかるようになってきました。

土偶の研究では、こうしたさまざまな研究によって明らかにされた事実と土偶との関係を考えることが重要なのです。わたしはこれまでの土偶の研究とはやや視点を変えて、人がヒトを資源化するための装置として、土偶が定住的な生活のなかで出現した、そして、土偶が使われた遺跡や地域の特徴を考えることによって、土偶がその地域で果たした役割がわかる、と考えています。

◉土偶の意味と機能

土偶が出土する地域の特徴は、たくさんの集落が存在し、また個々の遺跡の継続期間が長いという傾向があります。こうした地域や時期に土偶が多出することは、土偶の意味を考える際に重要です。土偶の使われた地域は社会が長く継続し、時には巨大なムラが出現するなどの現象が認められるからです。

土偶は妊娠した女性であるという前提と、出産による人口の維持は、社会の安定化と強い結びつきをもつと考えることができます。女性のアクセサリーの増加などが土偶の多量化、多様化と同じ時期に起こっているのも偶然ではないと思います（1章2参照）。

土偶のさまざまな表現や形を「かわいい」とか「神々《こうごう》しい」と感じ、そのイメージを直接自分の想像につなげて理解しようとする人もいますが、こうした考えは、それが本当に正しいかを検証する方法を提示していません。自分の知らない過去にどこか謎《なぞ》めいた想像をふくらませるのは、楽しいことかもしれませんが、それは考古学ではないのです。

V章

なぜ研究者になったのか

―縄文時代研究の魅力とは―

考古学はわたしの人生の道標《みちしるべ》

阿部芳郎

なぜ考古学者になったのか？　今のわたしは考古学の研究を中心に生活していることは間違いありません。ここまでの道のりを少し紹介して、ふり返ってみたいと思います。

わたしの育ったところは、畑と田んぼと雑木林ばかりの田舎町でした。春先の畑は作物もないので、格好《かっこう》の遊び場でした。春先に吹き荒れる猛烈《もうれつ》な北風は畑の土を吹き飛ばし、そこには古銭《こせん》や大昔の土器片《どきへん》が落ちていました。6歳の時に、兄が「歴史の授業で習った」と教えてくれた縄目《なわめ》の文様《もんよう》のついた土器片を畑で拾ったことを、今でも強烈に覚えています。

新緑のまぶしい春先の野山にはウグイスやメジロが鳴き、田んぼにはフナやドジョウがいて、それを捕まえて水槽《すいそう》で飼ったりもしました。道端の春を告げるのはオオイヌノフグリという青い小さな花をつける野草で、今でも大好きです。このように、わたしの身近にはごくありふれた自然がたくさんありました。そして、これらの生き物や土器片などの脈絡《みゃくらく》のない興味は、時間の流れとともに自然に考古学という学問に結びついてきました。

貝塚での調査中，顕微鏡で製塩の手がかりを探す

いまだに興味が変わることがないのは、苔《こけ》です。野山の朽木《くちき》や田んぼの土手にはたくさんの種類の苔があり、なかでも小さな白い花をつけるスギゴケが大好きです。ある時、さまざまな苔を採取して家の庭の片隅《かたすみ》に植えたことがありました。ほとんどの苔は程《ほど》なくして枯《か》れてしまい、苔も種類によって水はけや日当たりなどの微妙な条件ですみ分けていることがわかりました。

◉身近にあった探求心

わたしはたくさんある身近なもののなかから不思議なことや美しいものなど、折々《おりおり》の自分の興味でものを探し出し、その由来を図書室で調べることが好きでした。赤や緑のきれいな色をした小石が堆積岩《たいせきがん》か火成岩《かせいがん》かに関心はなくても、「その石は、一体何か？」を理解するために岩石学や地質学が必要であれば、自然に興味が向くのです。万事この通りなので、国語・算数・理科・社会といった科目ごとに閉じた世界を感じさせる学校の勉強には、あまり興味が持てませんでした。

◉発掘三昧《ざんまい》の日々

大学で本格的に考古学を勉強したいと決めてから、2年生の夏休みに初めて遺跡の発掘調査を経験しました。研究室では発掘前の準備が大変でした。発掘は先生の特定の研究テーマにしたがって計画されるので、全国の遺跡の発掘調査記録から、関係する資料を大量に準備して現場に臨《のぞ》みました。この時、発掘は事前の準備が重要だと学びました。

先生は、「遺跡は教室だ」と言って、よく発掘に連れて行ってくれました。その先生からは、発掘によって地中から発見されるモノは必ず3回見るということを教わりました。1回目は、自分で地中から掘り出して見つけるということ。今でも胸がときめきます。2回目は、それをきれいに水で洗いよく観察すること。そして3回目は、観察に基づき正確な実測図を作成することでした。先生は「作成した実測図を見れば、どの程度理解ができているかがすぐにわかる」と言い、「実測もしない人は研究者ではない」と厳しい指導を受けたこともありました。

ある時、先生に「考古学の研究するために、自分はまず何から勉強すればよいですか？」とたずねたことがありました。先生は「遺跡にあったモノの9割は土になってなくなってしまっているのだから、残っているモノ全部を調べても足りないよ」と、土器や石器だけを勉強することには賛成してくれませんでした。でも、その言葉のおかげで、土器や石器や骨角《こっかく》器《き》、貝輪《かいわ》、土偶《どぐう》、漆《うるし》、塩や貝塚《かいづか》や環状盛土遺構《かんじょうもりつちいこう》と呼ばれる当時のムラ、最近では土器の使用痕《あと》やオコゲなど、さまざまな資料を違和感なく勉強することができるようになり、今でも感謝しています。

このように大学は高校までの勉強とはまるで違い、教科ごとの知識よりも科目を関連づける考え方に興味を持つようになりました。「文化」「社会」「経済」などといった、毎日の生活にありふれた言葉や考え方が、一体いつごろ、どのように生まれてきたのかということを考えるのも好きで、経済学や社会学、自然地理学、英文学など他の学部の授業も、単位の取得に関係なく自由に聴きました。そこで初めて、科目ごとに切り刻まれた知識が、じつは大きな知の体系をつくっていることを実際に感じとることができました。個々の研究をつなげて考えることができる考古学は、自分に向いていると気づいたのもこのころでした。

◉たくさんのよき理解者たち

なぜ考古学者になったのかははっきりしませんが、その時々にさまざまな話し相手がいてくれたことは、今でも大切な宝だと思っています。父は高校で数学と化学を教える教員でしたが、たまの日曜日に土器拾いについてきてくれ、母も女学校時代に考古学に興味を持ったことがあるらしく、大学進学のよき理解者でした。兄たちは大学で芸術学や数学を専攻し、考古学や歴史とは関係ない方向に進学しましたが、家でよく土器や遺跡の話をしたものです。

現在わたしは大学に組織した研究所で、考古学だけでなく関連異分野の人たちと共同研究を進めています。年齢や分野の異なる研究者と、同じ課題を異なる方法で検討するのは、とてもスリリングです。それだけでなく、地道な作業の先に新しい成果が見えてきたときの感動は何ものにも代えられません。その感動を若い人たちにも知ってほしいという気持ちが、本書を編むきっかけとなりました。

◉研究の楽しさ

たぶん、研究の楽しさとは、黙々と地道な作業に取り組む毎日のなかで、時として垣間《かいま》見える法則性や関係性に心をときめかせること、そしてそれを多くの研究仲間と共有することなのだと思います。

わたしのこれまでの人生は、先生がたや先輩や友人や家族など、たくさんの人たちとの関わりの蓄積です。学生時代は考古学という学問の枠組みをどのように広げていけば他の学問とつなぐことができるのかということに興味を持ち、大学院に進学して研究に没頭することになりましたが、この興味の根源は今でも変わることはありません。

わたしの現在の研究テーマは、「ヒトは自然物をいかに資源として認識し、それを利用したか」というものです。「資源利用史」という考え方の枠組みをつくり、縄文時代について、さまざまな分野の研究者と共同で研究しています。個々の研究者は独自の研究をしているので、はじめはお互いに無関係に見えていても、研究を進めてゆくうちに、姿を現す関係性に、今も心をときめかせています。

霊長類《れいちょうるい》・ネアンデルタール・縄文土器

米田　穣

わたしが縄文時代を研究するようになったのは、偶然に導かれた結果だと思います。しかし、与えられた環境のなかで全力を尽くすうちに、現在の研究にたどり着いたことは必然だったという実感もあります。

その背景には、中学生ごろから考えてきた大きな問いがありました。「わたしたち人間はどのような生物で、なぜこのように世界中で繁栄《はんえい》しているのだろうか？」という素朴《そぼく》な疑問です。このテーマは、今でも自分の行く先を照らす灯台となっています。この問いに向きあい、どのような研究をしてきたのか、わたしの研究史を少しお話ししたいと思います。

研究の世界にわたしを導いたのは、中学校で出会った理科の先生と、その後に接した多くの書物です。中学1年生のときの副担任から、屋久島《やくしま》でのニホンザル調査の話をきき、森のなかでサルをひたすら観察する野外調査が、わたしにはとても魅力的に思えました。とくに、サルの研究から人間を研究する、という霊長類学の発想が一番の驚きでした。

河合《かわい》雅雄《まさお》編『霊長類学への招待』（小学館創造選書）や伊谷純一郎《いたにじゅんいちろう》『ゴリラとピグミーの森』（岩波新書）など霊長類学の本を読み、日本の霊長類学は世界でもトップクラスで、京都大学に霊長類研究所という研究所があることを知りました。しかし、サルの研究が本当に人間の研究につながっているという実感を、当時のわたしは得ることができませんでした。

北海道小樽市での土器オコゲの調査

そのころ『パンツをはいたサル』（光文社）というちょっとふざけたタイトルの本を手にとりました。経済人類学者を名のる栗本慎一郎《くりもとしんいちろう》さんが、貨幣《かへい》や法律などを動物行動学の視点から読み解いた本です。内容の正確性はともかく、ヒトの生物学的な要素と現代社会が直接リンクしているという主張に、知的興奮を覚えました。

ところが栗本さんの著作を追いかけるうちに、彼の議論は暗黙知《あんもくち》や蕩尽《とうじん》といった、海外の現代思想のアイデアを自己流に展開したものとわかってきました。現代思想の翻訳書にも挑みましたが、哲学の考え方を学ぶ機会がない日本の高校生には難しい挑戦でした。

当時流行していた「ニュー・アカデミズム」の影響を、知らないうちに浴びていたのだと思います。きちんとした哲学教育を受けないままで解説的なベストセラーに接したため、人文学は偉人の思想を勉強して解釈すること、と誤解してしまっていたのです。もっと科学的な手法で人間のことを知りたくなり、霊長類学への関心が再燃しました。

「京都大学理学部で霊長類学を勉強する」と決心して大学受験に臨《のぞ》みましたが、東京大学理科II類に入学することになりました。浪人するつもりだったのですが、担任の先生が、東京大学にもチンパンジー研究者がいる、と教えてくれました。

ところが、なんとか理学部生物学科人類学専攻に進学したものの、その先生はすでに京都大学へ移っておられたのです。途方に暮れていたわたしを哀《あわ》れに思った先輩が、夏休みに中東のシリアでネアンデルタール人の発掘調査があるから話を聞いてみたら、と助言してくれました。すぐに責任者の先生のもとを訪ね、調査隊に加えていただくことになりました。

シリア・アラブ共和国での発掘調査は、わたしの人生を決定づけた経験です。人骨や石器《せっき》の専門家だけでなく、遺伝子や地形学など多くの分野から専門家が現地に集結して合宿生活を送りました。さまざまな分野の研究者と直接お話しして印象的だったのは、どの先生もとても楽しそうに語られることです。大人がこれほど楽しそうに話す研究というものは、すばらしいものに違いないと確信しました。この時に、わたしは研究者になることを決心したのだと思います。

卒業研究では長野県の北村遺跡《きたむらいせき》の縄文人骨を分析することになりました。ちょうど、放射性炭素年代測定に用いられるタンデム加速器が新しい装置に更新されることになり、学内の総合研究資料館(現在の東京大学総合研究博物館)に実験室が一時的に引っ越していたのです。そこで、骨からタンパク質を抽出《ちゅうしゅつ》する方法や、年代測定の前処理方法を教えてもらいました。しかし、北村遺跡の人骨にはタンパク質が残っておらず、卒業研究ではデータをほとんど示せませんでした。

修士課程では、つくば市にある国立環境研究所の分析装置を借りることになり、つくば市に引っ越して、実験三昧《ざんまい》の日々を送ります。博士《はくし》課程1年生のとき、環境研究所に放射性炭素の測定装置が導入されることになり、研究員として就職することになりました。たまたま卒業研究で放射性炭素を分析した経験があったからです。とはいえ、人類学に夢中だったわたしに、環境問題解決に役立つ研究ができるのか、不安もありました。

放射性炭素を使った環境の研究に、海水の循環に関する研究があります。1945年から15年ほどのあいだに大気圏内で行われた核実験によって、大気中の放射性炭素濃度は、炭素原子1兆個につき1つから、およそ2倍にまで急上昇しました。核実験由来の放射性炭素は大気から海水にしみこむので、海水の放射性炭素濃度の上昇から、海洋が二酸化炭素を吸収する速度がわかります。これは地球温暖化の将来予測にとって、非常に重要な指標《しひょう》です。

しかし、この時期に実施された核実験以前の海水の放射性炭素濃度が大きな問題でした。現在の海水には大気から核実験由来の放射性炭素をたくさん含んだ二酸化炭素が溶けこんでいるので、もともとの濃度を調べることは困難なのです。

この話を環境研究所の同僚から聞かされたわたしは、ひとつの研究を思いつきました。それは貝塚《かいづか》で海と陸の動物の骨を比較して、核実験以前の海水の放射性炭素濃度を推定する研究です。北海道の貝塚でオットセイとシカの骨を比較してみると、驚いたことに同じ時代の骨でも800年も年代が違ったのです。このことから、オホーツク海では深層から上昇した海水の影響が非常に大きいとわかりました。

わたしは、縄文人の研究は環境研究には役に立たない、と思いこんでいましたが、温暖化の将来予測に縄文人が残してくれた動物骨を活用することができました。どのような場所で、どのような研究に取り組もうと、自分がそれまで研究してきたことは、何ひとつムダにはならない。心の底から研究を楽しいと感じた瞬間でした。

わたしは、関係ないと思っていた別々の現象のあいだに、誰も気づかなかった関係を見つけた瞬間を一番楽しいと感じます。そのためには、さまざまな角度から研究することが必要です。シリアでの発掘調査で学んだ総合的な研究を、縄文時代の研究でも実践しています。土器のタイプと、オコゲの窒素《ちっそ》同位《どうい》体比《たいひ》との関係がわかったときは、とても驚き、興奮しました。なぜなら、こんなに不思議なことを知っているのは、世界にわたしだけなのですから。

わたしは、どのような場所でも研究を続けることができると考えています。それは、一生をかけて答えを知りたい問いを見つけたからです。そのような疑問に出合ってしまった人間は、研究することが運命なのでしょう。

いま、あなたが一番知りたいことは何ですか？

くらしの考古学を探る

佐々木由香

東京生まれ、東京育ち。子どもの頃の夏休みは、山口県徳山市(現在の周南市《しゅうなんし》)にある父の実家で過ごしました。祖父母の家は茅葺《かやぶ》き屋根で、周りは田んぼと山ばかり。毎日、野山をかけめぐり、虫や魚を採り、花をつむのが楽しくて、いつも宿題を後まわしにしてしまい、新学期が始まる前は苦しんでいたように思います。

ある時、植物図鑑に自分がつんだ花の名前が書いてあるのを見つけたことがきっかけで、図鑑から植物の名前をひたすらノートに写したり、家の周りで見つけた草花の絵を描いたりするようになりました。思い返すと、それが植物と深く関わった最初の機会だったように思います。

小学校の時に地域の絵のコンクールで受賞したのが嬉しくて油絵を習ったり、歴史も好きでいろいろ学びたいという気持ちもあったりで、進学先には、歴史も学べて絵も描ける文化財の授業がある大学の日本文化史学科を選びました。考古学の授業もあり、民俗学や歴史学、美学、文化財科学・修復学など多彩な学問を浅くですが広く学ぶことができました。

考古学を専門にするきっかけは、大学1年生の夏休みにある先生から紹介された発掘調査のアルバイトです。平安時代の住居跡の調査で、土の色の違いを観察して調査する方法や、出てきた土器などの取り上げ方がおもしろく、それ以降は休みのたびに発掘調査へ行き、カンボジアなど海外の調査にも参加しました。どの調査も楽しく勉強になりましたが、「当時の人はどのような景色を見ていたのだろう？　何を食べていたのだろう？」と疑問を持つようになりました。土を掘るだけでは、日々のくらしが見えないと感じたのです。

ラオスでかごの作り方の聞き取りをする筆者

大学1年生の春休み、火事になった竪穴《たてあな》住居跡を発掘調査で見る機会がありました。掘り出した住居から炭化《たんか》した木材が折り重なって出土《しゅつど》したのです。炭化材の樹種は分析会社に委託して調べてもらうと聞き、「どんな木が使われていたのだろう？」とワクワクしていたのですが、わたしの参加期間が終わっても結果はわからず、自分で調べられたらいいのに、と思いました。

授業や調査以外でももっと考古学を勉強したくなって、大学で1年生の友人たちと考古学研究会を作り、毎週誰かが発表を行なって、考古学に向き合うようになりました。そして、研究会で活動するうちに、「植物考古学」という分野があることを知ったのです。

当時、植物考古学が専門の先生は首都圏にいませんでした。ヒガンバナのアク抜き方法を考古学的視点から論文にされた先生を知り、不躾《ぶしつけ》ながらいきなり研究室を訪れてしまいました。先生に快く迎えていただき、お話をうかがって、植物考古学をやりたいと思い始めました。

卒業論文のテーマには、縄文時代の植物考古学の方法論を選びました。考古学と民俗学ゼミの双方に参加していたので、自然科学を合わせた学際的な方法が植物考古学に生かせないかと考えたのです。大学院に進学し、植物が出土する遺跡を調査したいと思うようになりました。

卒業前の春休み、たまたま目にした新聞記事で、その日に東京都東村山市下宅部《しもやけべ》遺跡の現地説明会があるのを知りました。「縄文時代の低湿地《ていしっち》遺跡」と書いてあります。すぐに行ってみると、木材が使われた水場《みずば》遺構《いこう》が説明されていて、昨日落ちたような生々しいクルミやトチノキの種子も展示されていました。わたしが調査したい遺跡はここだ！と、調査主任の方に「雇《やと》ってください！」と勢いでお願いしたら、「明日から来ていいよ」と快諾《かいだく》してくださって、その後7年間、発掘調査や整理作業でお世話になりました。この遺跡調査が、わたしの人生の道筋を決めたと思います。

調査に参加して驚いたのは、考古学専攻の大学院生や大学生が多く、みんなが土器などにとても詳しかったことです。小さいかけらでも、聞いたことがない土器の名前が次から次へと出てきて、実測図を描くのも上手で、それに比べてわたしは……と思う日々が始まりました。

低湿地部の調査では、念願の種子や木材を発掘できて、縄文人のくらしをのぞいているような気がしました。しかし、種子や木製品に詳しい人はおらず、外部の先生や分析会社に頼っていました。毎日、知らない植物がたくさん見つかり、「調査している人間が植物のことを知らないと、重要なものを取りこぼしているのではないか」と感じるようになりました。

自分でも種子を分類してみましたが、専門に学んだ経験がなく、わからないものがすぐにたまってしまいます。そこで、遺跡の指導委員をされていた方のご紹介で日本植生史学会《しょくせいしがっかい》に参加しました。人と植物の関わりを研究する先生がたくさんおられ、そのつてで植物専門の先生の研究室へうかがったり、授業や調査に参加させてもらったり、木材標本の採集会に参加したりして、とりあえずチャレンジしてみるスタイルで植物の勉強を始めました。

遺跡調査団の理解もあり、木材の樹種同定のためにしばらく研究所に泊まりこんで勉強させてもらいました。木材標本庫にあるわずかな隙間《すきま》に寝袋で寝て、朝から晩まで出土木材をカミソリで切り、プレパラートにのせて現在の木材標本と見比べる作業に取り組みました。

知識が増えると、植物自体だけでなく、木製品などの遺物や植物が使われた遺構、環境の変遷《へんせん》など、植物を通して初めてわかる世界がたくさんあることを知りました。各地の低湿地遺跡を泥だらけになって調査して、文字通り、低湿地の考古学の泥沼《どろぬま》にハマったのです。

下宅部遺跡の調査が終わるころ、出土遺物の分析を手がける民間の分析会社に勤める機会を得ました。考古学と自然科学の橋渡しができる人を入れたいとの意向《いこう》でした。縄文時代の遺跡だけではなく、全国各地、旧石器《きゅうせっき》時代から現代の遺跡まで飛び回る生活が始まりました。遺構や遺物、遺跡の形成や環境の変遷にはそれぞれ特徴がありましたが、同時に地域や時代ごとに共通する部分もあるのがおもしろいと感じるようになりました。大学の非常勤講師や研究所職員をかけ持ちさせてもらい、会社を辞めても大学で研究を続けることができました。

植物の研究者と一緒に調べていくと、縄文時代のムラの周辺では、クリやウルシなど人に役立つ木が自然界ではありえないほど生《は》えていて、人が関わった生態系があったとわかりました。実を食べ、繊維《せんい》は布や縄《なわ》にし、木材を利用する。有用な植物を余すことなく使い切り、それを維持する生産システムがあったこと。他分野の研究者と共同でそれを分析し、民俗例の聞き取り調査をし、自分でも分析して解明することのおもしろさを知りました。そう、わたしが知りたいのは、人々のくらしだということに改めて気づいたのです。

何でも自分で試してみる研究スタイルは、これからも続けたいと思います。今は縄文時代のかごを再現する研究に各地で取り組んでいます。ササのかご作りも本職に教わりました。まず良質のササを栽培し、水気が抜けた晩秋に収穫して3か月間干す。口で割って薄《うす》くそぎ、「ひご」にして編む。編むだけと思っていたかごの裏には、植物の管理を含めた膨大《ぼうだい》な手間と技術がありました。こうした新たな気づきは、各地の職人さんに教えてもらっています。

調べるほどに先人の知恵に打ちのめされ、未知の分野が広がる喜びを感じます。植物考古学の新しい扉が開く瞬間が時々訪れる、そこがとてもおもしろいのです。

植物考古学の専門家は非常に少ないのですが、一人でも仲間を増やしたいと思っています。

遺跡から出土する貝・骨は宝の山

樋泉岳二

1970年代後半、高校生だったわたしは、歴史好きの自然史（生物・地質）好きという厄介な好みのため、両者にかかわることのできる分野はないかと模索していました。その頃ひょんなきっかけから考古学に興味をもったわたしは、1980年に早稲田《わせだ》大学に進学、幸いにして当時日本では数少ない動物考古学（という言葉は当時まだありませんでしたが）の専門家だった先生のお手伝いをする機会があり、その後、貝塚《かいづか》の発掘に参加させていただけるようになりました。

最初に参加した貝塚調査は1982年、東京湾東岸縄文後晩期の代表的な大規模貝塚のひとつである千葉県市原市の西広《さいひろ》貝塚。ハマグリやイボキサゴなどの貝殻《かいがら》からなる厚さ3メートル以上に達する貝層に圧倒されたわたしは、「生きている貝を見たい！」という衝動にかられ、木更津《きさらづ》の小櫃川《おびつがわ》河口にそうした干潟《ひがた》が残されていることを知って、さっそく現地を見に行くことにしました。

西広貝塚の発掘仲間たちと（左端が筆者）

アシ原から後浜《あとはま》の塩性湿地、さらに前浜の砂《さ》泥質《でいしつ》干潟へと続く景観は縄文時代の海岸をイメージするのに十分で、そうした環境の違いに応じて、貝塚からも出土していた多種多様な貝類が当時はまだ生息していました。これはハマグリやイボキサゴもたくさん採れるだろうと期待は膨《ふく》らんだのですが、実際には肝心のハマグリの生貝《せいがい》はわずか1個、イボキサゴも生きているものはわずかで、現代と縄文時代の干潟が同じものではないことを知ったのです。この干潟体験が、今にして思えば以後の研究の原点だったように思います。

　そのような経緯で、まだぼんやりとではありましたが人間と自然環境の関係性の歴史に興味をもちました。一方で、当時の日本の考古学では「縄文人は厳しい自然環境と巧みに調和しながら暮らしていました」などと言われていたものの、その実態を具体的に示すデータはとぼしく、観念論的で胡《う》散臭《さんくさ》さも感じていました。そうした時に、西広貝塚の調査を通じて、人類学、動物考古学、植生史学などの分野の、当時の新進気鋭の先生方と知り合うことができたのは幸いでした。

1960〜70年代にかけて、欧米の人類学や考古学では、ヒトと自然の関係性の実証的研究（いわゆる「生態学的研究」）が活発化しつつありました。こうした流れを受け、1970年代後半には日本でも考古学と自然科学の学際的研究の推進を目的とした科学研究費特定研究、いわゆる「古文化財」プロジェクトが進められていました。そのなかで、当時としては世界でも先端的な貝殻成長線分析の研究を通じて、季節性の面から貝類利用の実態解明に取り組まれている先生がいました。

これがひとつの突破口《とっぱこう》になるのではないかと感じたわたしは、当時その先生が在籍されていた埼玉大学に寝泊まりしながら研究方法を学び（当時の早稲田大学は出席などのしばりがゆるく、他大学に入りびたることができたのです。今では考えられないことですので、みなさんはマネしないように）、西広貝塚の貝類の採集季節を主題として卒業論文を書きました。

また、その先生の研究室の卒論仲間に、珪藻《けいそう》分析による東京湾の古環境復元に取り組んでいた方がいました。研究室での東京湾の貝塚と古環境の関係をめぐる議論は楽しく、また以後のわたしの研究の基礎となりました。

当時、「古文化財」をはじめとして、さまざまな異分野の研究者が実験的なコラボレーションを通じて、新しい研究を生み出そうという気運が高まっていたように思います。何も知らない学部生であったわたしにも、研究室を通じて、その熱気のようなものは感じられました。

考古学以外にもさまざまな異なった学問的背景をもつ先生方と接するのは楽しく、大いに勉強になりました。その一方で、当時そうした研究者間の関係は必ずしも友好的なものばかりではなく、時に激しいやりとりも目《ま》の当《あ》たりにし、まだ生意気なだけで世間知らずだったわたしは戸惑《とまど》うこともしばしばでした。今でこそきれいごとのように言われる「学際研究」ですが、単なる仲良しサロンではないことを実体験できたのは大きな教訓となりました。

大学院に進学したわたしは、魚類や鳥獣類も含めた動物資源利用の総合的な復原に取り組みたいと考え、開館後間もない国立歴史民俗博物館に着任されたばかりの動物考古学の先生にお願いして魚骨や鳥獣骨《ちょうじゅうこつ》の同定を学び、1984年に行われた愛知県伊川津《いかわつ》貝塚の調査に参加する機会を得て、伊川津貝塚の生業《なりわい》復原で修士《しゅうし》論文を書きました。

その他にも大学院生時代には明石西八木《あかしにしやぎ》海岸や長崎県伊木力《いきりき》遺跡など全国各地の発掘に参加することができました。実際に層序《そうじょ》(地層のできた順序)や遺物の出土状況を見ながら議論できる発掘現場は、わたしにとって最高の教室でした。

また、当時の発掘ではさまざまな大学の学生が泊まりこみで参加することも多く、学生間の交流も盛んでした。これらの調査を通じてできた研究仲間とのつながりは、今もわたしの大切な財産となっています。

遺跡から出土する動物遺体(貝や骨)は、その遺跡での動物資源利用の実態(どのような資源を利用していたか、いつ、どこで、どのような方法で捕獲していたか、など)、ヒトと自然の関係性の歴史(例えば冒頭で述べた干潟の生息貝類の変化など)、さらに時には当時の人びとを取り巻いていた社会のあり方までも教えてくれます。

もともとは生ごみとして捨てられた貝や骨ですが、わたしにとっては宝の山なのです。

おわりに

日本の考古学は、ひとりの研究者が複数の時代を扱うことは稀《まれ》です。それは、時代ごとに扱うテーマや資料も個性的だからです。そのため時代を通しての、個々の歴史的なできごとの意味が見えにくくなってしまうこともあります。そうした場合は、複数の時代を通して考えることができるテーマ、例えば人骨や食べ物の研究などを併《あわ》せることで、長い歴史のなかでの意義を考えることができます。

本書でも、動物考古学は樋泉岳二さん、植物考古学は佐々木由香さんにご執筆いただきました。また、歴史の生き証人でもある人骨の分析、そのなかでも進展が著しい古代人の食性分析は、米田穣さんに最新の研究成果を紹介してもらいました。

おそらく読者のみなさんは、本書でさまざまな研究を紹介するために、わたしがほかの研究者を探して声をかけたのだろうとお考えかもしれません。しかし、実際はそうではなく、本書を分担した人たちは一緒に研究を進めている、いわば研究仲間なのです。

ここで紹介した個々の研究で使う言葉や考え方、あるいは説明の方法などは、意図的に統一してはいません。この本では、日常的にそうした会話をしながら最先端の研究が進められている臨場感《りんじょうかん》を、みなさんにも感じていただきたいと考えたのです。

縄文時代を人体から考えたり、食べた物や調理に使った土器《どき》から考えたり、土偶《どぐう》という祈りの道具から考えたりと、多様な視点からとらえることができるのも考古学の特徴です。

わたしたちは課題を共有するために、ひとつのキーワードを作って研究を進めてきました。それが「資源利用史」という言葉です。ヒトは身の周りのモノや環境(自然物)に、どのように価値を見出したのでしょうか? 自然物を資源として利用する資源化の方法は、各時代や地域によって異なります。これは文化の違いなのです。

本書で取り上げた植物や動物も、縄文時代特有の利用の仕方がありました。これらの資源を具体的にどのように加工したのかを土器のオコゲ分析が解明し、それを利用した人体そのものが何から形成されているのか、人骨の食性分析が明らかにしています。さらに土偶も、出産を新たな人的資源の誕生とみなした、縄文人特有の儀礼だった可能性を考えています。

このように、問いかけ方は異なっていても、わたしたちは「縄文時代とはいったいどんな時代だったのか？」という問いを大切にして、共通の課題としてそれぞれの研究に取り組んでいることがおわかりいただけたと思います。

普段は学術論文を書きなれているわたしたち研究者にとって、岩波ジュニア新書の執筆は専門用語をほとんど使わないで最新の研究の成果を解説する、という難しさがありました。その反面、言葉を替えて言い直してみると、自分でも理解がすっきりして、改めて言葉のもつすばらしい力を感じます。

この本を通じて、ひとつのモノやコトをさまざまな視点から考えることの大切さや、物事に対する探求心を読みとっていただければ、わたしたちは大変にうれしく思います。

最後に本書の構想から刊行に至る過程では、岩波ジュニア新書編集部の塩田春香さんに大変にお世話になりました。御礼申し上げます。

阿部芳郎

執筆者紹介(あいうえお順)

佐々木由香(ささき・ゆか)

金沢大学古代文明・文化資源学研究所特任准教授．東京大学大学院新領域創成科学研究科論文博士(環境学)．専門は植物考古学．遺跡調査団の調査員，民間の自然科学分析会社を経て，大学機関で人と植物の関係史を自然科学分析から読み解く研究を行なっている．2023年尖石縄文文化賞を受賞．共著に『ここまでわかった！ 縄文人の植物利用』(新泉社)など．調査で立ち寄る各地の市場を徘徊して，未知の植物の食べ方や使われ方を聞くのを楽しみにしている．

樋泉岳二(といずみ・たけじ)

早稲田大学・明治大学講師．早稲田大学大学院文学研究科満期退学．日本動物考古学会前会長．専門は動物考古学．「動物遺体(貝・骨など)が出土する遺跡なら，どこへでも行き，なんでも分析する」を基本的ポリシーとしており，これまでに日本国内各地や韓国・フィリピン・ベトナムなどで遺体分析や貝殻成長線分析を手掛けてきた．現在はおもに奄美・沖縄などで動物遺体分析に取り組んでいる．共著に『講座日本の考古学4 縄文時代(下)』(青木書店)，『奄美・沖縄諸島先史学の最前線』(南方新社)など．

米田 穣(よねだ・みのる)

東京大学総合研究博物館教授．東京大学大学院理学系研究科人類学専攻中退．博士(理学)．2019年濱田青陵賞受賞．遺跡から出土する骨や土器のオコゲを分析して，昔の人々の暮らしぶりを調べたり，年代を測定したりする考古科学が専門．最近は考古学を科学的に研究する方法を考えながら，太古の人々の考え方(意図)の復元に挑戦している．著書に『人間の本質にせまる科学』(共編著，東京大学出版会)，『宇宙と生命の起源2 素粒子から細胞へ』(共著，岩波ジュニア新書)など．

参考文献・図版出典

I 章　阿部芳郎，1992「縄文土器の器種構造と地域性」『駿台史学』102
阿部芳郎，1996「食物加工技術と縄文土器」『季刊考古学』55
小林達雄，1996『縄文人の世界』朝日選書
佐原眞，1987『日本人の誕生』小学館
山内清男，1964『日本原始美術 1　縄文式土器』講談社
図 2：金箱文夫，1995「埼玉県赤山陣屋跡遺跡」『季刊考古学』55
図 3：阿部芳郎，2020「「縄文容器論」の展開と可能性」『季刊考古学』別冊 31
図 4：阿部芳郎，2019「身体装飾の発達と後晩期社会の複雑化」『身を飾る縄文人』雄山閣

II 章 1　ランガム リチャード，2010『火の賜物―ヒトは料理で進化した』NTT 出版
ワトソン ライアル，1974『悪食のサル―食性からみた人間像』河出書房新社
米田穣・阿部芳郎，2021「土器付着炭化物の同位体分析で探る土器の使い分け」『季刊考古学』155
米田穣・阿部芳郎・樋泉岳二・佐宗亜衣子，2023「神奈川県夏島貝塚における土器付着炭化物と人骨の同位体分析からみた縄文時代早期の生業の地域性」『駿台史学』180
図 1：東京大学総合研究博物館ニュース『ウロボロス』22-2

II 章 2　阿部芳郎，2022「実験考古学による製塩技術の実証」『季刊考古学』別冊 38
近藤義郎，1962「縄文時代における土器製塩の研究」『岡山大学法文学部学術紀要』15
半田純子・戸沢充則，1966「茨城県法堂遺跡の調査「製塩址」をもつ縄文時代晩期の遺跡」『駿台史学』18
渡辺誠，1994「藻塩焼考」『風土記の考古学 1』同成社
図 2：土浦市教育委員会，2006『土浦市上高津貝塚 C 地点』

図 4・5：阿部芳郎，2016「「藻塩焼く」の考古学」『考古学研究』63–1

III 章 1　山崎健・尾田識好・市田直一郎・森先一貴・岩瀬彬・國木田大・佐藤宏之，2020「東京都前田耕地遺跡から出土した動物遺存体の再検討」『旧石器研究』16
杉原荘介・芹沢長介，1957『神奈川県夏島における縄文文化初頭の貝塚』明治大学文学研究所
湯倉洞窟遺跡発掘調査団編，2001『湯倉洞窟』高山村教育委員会
劔持輝久・野内秀明，1983「横須賀市平坂東貝塚の概要」『横須賀市 博物館研究報告(人文科学)』27，横須賀市人文博物館
岡本東三・柳澤清一編，2006『千葉県館山市沖ノ島遺跡第 2・3 次発掘調査概報』千葉大学文学部考古学研究室
白﨑智隆・狩野美那子編，2021『千葉県船橋市取掛西貝塚総括報告書―東京湾東岸部最古の貝塚』船橋市教育委員会
藤森英二編，2019『栃原岩陰遺跡発掘調査報告書―第 1 次～第 15 次調査(1965～1978)』北相木村教育委員会
樋泉岳二，2006「魚貝類遺体群からみた三内丸山遺跡における水産資源利用とその古生態学的特徴」『植生史研究』特別第 2 号
千葉市埋蔵文化財調査センター編，2017『史跡加曽利貝塚総括報告書』千葉市教育委員会
北区教育委員会編，2000『中里貝塚』
豊橋市教育委員会編，1995『大西貝塚』
渡辺誠，1985「漁業の考古学」『講座・日本技術の社会史 第 2 巻（塩業・漁業)』日本評論社
図 2：杉原荘介・芹沢長介，1957

III 章 2　小畑弘己，2011『東北アジア古民族植物学と縄文農耕』同成社
工藤雄一郎，2022「縄文時代早期末～前期の漆文化とその特徴」『季刊考古学』別冊 36
工藤雄一郎・国立歴史民俗博物館編，2014『ここまでわかっ

た！ 縄文人の植物利用』新泉社
工藤雄一郎・国立歴史民俗博物館編，2017『さらにわかった！ 縄文人の植物利用』新泉社
佐賀市教育委員会編，2017『縄文の奇跡！東名遺跡　歴史をぬりかえた縄文のタイムカプセル』雄山閣
佐々木由香，2020「植物資源利用からみた縄文文化の多様性」『季刊考古学』別冊 31
那須浩郎，2018「縄文時代の植物のドメスティケーション」『第四紀研究』57-4
西田正規，1985「縄文時代の環境」『岩波講座　日本考古学 2 人間と環境』岩波書店
能城修一・佐々木由香，2014「遺跡出土植物遺体からみた縄文時代の森林資源利用」『国立歴史民俗博物館研究報告』187
能城修一・吉川昌伸・佐々木由香，2021「縄文時代の日本列島におけるウルシとクリの植栽と利用」『国立歴史民俗博物館研究報告』225
吉川昌伸，2011「クリ花粉の散布と三内丸山遺跡周辺における縄文時代のクリ林の分布状況」『植生史研究』18-2
図 1：工藤雄一郎，2018「植生史研究と考古学」『季刊考古学』145
図 2：下宅部遺跡調査団編，2006『下宅部遺跡Ⅰ 旧石器・縄文時代編 1』東村山市教育委員会
図 6・16：佐賀市教育委員会編，2017
図 7：能城修一ほか，2021／吉岡邦二，1973『植物地理学』共立出版
図 9：工藤雄一郎・国立歴史民俗博物館編，2014
図 11・15・23：佐々木由香，2020
図 12：佐々木由香，2019「土器種実圧痕から見た日本における考古植物学の新展開」『アフロ・ユーラシアの考古植物学』クバプロ
図 14：金箱文夫，1996「埼玉県赤山陣屋跡遺跡―トチの実加工場の語る生業形態」『季刊考古学』55
図 17・18・21・22：工藤雄一郎・国立歴史民俗博物館編，2017

IV 章 1　米田穣・陀安一郎・石丸恵利子・兵藤不二夫・日下宗一郎・覚張隆史・湯本貴和，2011「同位体からみた日本列島の食生態の変遷」『環境史をとらえる技法』文一総合出版
米田穣，2021「考古学と自然人類学―縄文時代・弥生時代の生業を考える」『人間の本質にせまる科学―自然人類学の挑戦』東京大学出版会
米田穣・中沢道彦，2023「古人骨の同位体分析からみた農耕文化複合の縄文系集団へのインパクト」『季刊考古学』別冊 40
米田穣・佐々木由香・中沢道彦，2023「日本列島における低水準食料生産から農業への移行と農耕文化複合との関係」『東日本穀物栽培開始期の諸問題』雄山閣

IV 章 II　阿部芳郎，2012『土偶と縄文社会』雄山閣
江坂輝彌，1960『土偶』校倉書房
小林達雄，1994「縄文土器文様論」『縄文土器の研究』小学館
原田昌幸，1997「発生・出現期の土偶総論」『土偶研究の地平』勉誠社
図 3：八重樫純樹，1992「土偶とその情報」『国立歴史民俗博物館研究報告』37 集，国立歴史民俗博物館
図 7：阿部芳郎，2012

V 章　赤澤威，2000『ネアンデルタール・ミッション―発掘から復活へ フィールドからの挑戦』岩波書店
伊谷純一郎，1961『ゴリラとピグミーの森』岩波新書
河合雅雄編，1984『霊長類学への招待―サルからヒトへの進化をめぐって』小学館創造選書
栗本慎一郎，1981『パンツをはいたサル―人間は，どういう生物か』光文社

阿部芳郎
明治大学文学部教授(史学博士). 明治大学大学院博士後期課程(退学). 明治大学資源利用史研究クラスター代表.
専門は縄文時代の考古学. 学生時代は発掘三昧の毎日を過ごし, 気がつけば考古学者になっていた. 考古学はわずかな土のなかのモノやコトを手がかりにするため, 異なる物事や分野を結びつけることで, 現代社会を考えることにも応用できると考えている. 著書に『縄文のくらしを掘る』(岩波ジュニア新書), 『縄文文化の繁栄と衰退』(雄山閣)など.

縄文時代を解き明かす
—考古学の新たな挑戦
岩波ジュニア新書 982

2024年3月19日 第1刷発行

編著者 阿部芳郎《あべよしろう》

発行者 坂本政謙

発行所 株式会社 岩波書店
〒101-8002 東京都千代田区一ツ橋 2-5-5
案内 03-5210-4000 営業部 03-5210-4111
ジュニア新書編集部 03-5210-4065
https://www.iwanami.co.jp/

印刷・三陽社 カバー・精興社 製本・中永製本

ISBN 978-4-00-500982-4 Printed in Japan

岩波ジュニア新書の発足に際して

きみたち若い世代は人生の出発点に立っています。きみたちの未来は大きな可能性に満ち、陽春の日のようにひかり輝いています。勉学に体力づくりに、明るくはつらつとした日々を送っていることでしょう。

しかしながら、現代の社会は、また、さまざまな矛盾をはらんでいます。営々として築かれた人類の歴史のなかで、幾千億の先達《せんだつ》たちの英知と努力によって、未知が究明され、人類の進歩がもたらされ、大きく文化として蓄積されてきました。にもかかわらず現代は、核戦争による人類絶滅の危機、貧富の差をはじめとするさまざまな人間的不平等、社会と科学の発展が一方においてもたらした環境の破壊、エネルギーや食糧問題の不安等々、来るべき二十一世紀を前にして、解決を迫られているたくさんの大きな課題がひしめいています。現実の世界はきわめて厳しく、人類の平和と発展のためには、きみたちの新しい英知と真摯《しんし》な努力が切実に必要とされています。

きみたちの前途には、こうした人類の明日の運命が託されています。ですから、たとえば現在の学校で生じているささいな「学力」の差、あるいは家庭環境などによる条件の違いにとらわれて、自分の将来を見限ったりはしないでほしいと思います。個々人の能力とか才能は、いつどこで開花するか計り知れないものがありますし、努力と鍛練の積み重ねの上にこそ切り開かれるものですから、簡単に可能性を放棄したり、容易に「現実」と妥協したりすることのないようにと願っています。

わたしたちは、これから人生を歩むきみたちが、生きることのほんとうの意味を問い、大きく明日をひらくことを心から期待して、ここに新たに岩波ジュニア新書を創刊します。現実に立ち向かうために必要とする知性、豊かな感性と想像力を、きみたちが自らのなかに育てるのに役立ててもらえるよう、すぐれた執筆者による適切な話題を、豊富な写真や挿絵とともに書き下ろしで提供します。若い世代の良き話し相手として、このシリーズを注目してください。わたしたちもまた、きみたちの明日に刮目《かつもく》しています。（一九七九年六月）